No.
Date
すべてはノートからはじまる
あなたの人生をひらく記録術
倉下忠憲
星海社
190
SEIKAISHA SHINSHO
JN053527

No.

Date

はじめに　ノートをめぐる冒険

本書はノートが気になる人すべてに向けて書かれています。普段ノートを使っている人だけでなく、ノートに興味はあるけども同時に苦手意識を感じている人も対象です。

もしかしたら、なんで今さらノートなの、と思われるかもしれません。むしろ逆です。今だからこそノートなのです。現代のように情報で溢（あふ）れ返る時代こそ、「自分のノート」を持つことが肝要です。

やることがたくさんあってパンクしそう？　ノートの出番です。

情報が増え過ぎて混乱している？　ノートの出番です。

No.

Date

考えがまとまらない？　ノートの出番です。
人生を変えていきたい？　ノートの出番です。

身近なツールであるノートは、あらゆる場面で活躍する強力な道具でもあります。ノートはチートなのです。

しかしそのことはあまり気づかれていません。そもそも不思議ではありませんか。記憶術とはよく聴くのに、記録術とはほとんど聴きません。記録に技術なんて関係ないのでしょうか。もちろん、あります。むしろ記録にこそ強い技術が宿ります。

そこで本書はノートの奥深さを探究していきます。構成は次の通りです。

まず第1章では、ノートがいかに強力なツールなのかを確認します。人間とノートの関係を検討することで、その強力さが浮かび上がってくるでしょう。続く第2章と第3章では、行動をサポートするノートの技法を検討します。仕事術といった分野で語られる話題です。さらに第4章と第5章では、思考を鍛えるためのノートの技法を確認します。これは知的生産の技術と呼ばれる分野に関係しています。最後の第6章と第7章では自分を超えるためのノートについて紹介します。

これだけ広い用途を持つノートの使い方を、私たちはほとんど知りません。むしろノートといえば、授業で使われる退屈な板書(ばんしょ)ノートがまっさきに思い浮かぶのではないでしょうか。しかし、ノートの世界はもっとずっと雄大であり、私たちの探究を待ち受けています。本書が飛び込むのはその世界です。よくあるノートのイメージを刷新する旅に出かけるのです。

途中、「そもそもノートとは何か?」のような面倒な回り道を通ることもあるでしょう。魅力的な脇道がこの旅にはたくさん待ち構えています。そのうちのどこかをくぐり抜けることで思わぬ場所にたどり着くかもしれません。だからこれはもう旅というより一種の冒険です。その冒険では、多様なノートないしは記録術との出会いが待っていることでしょう。

No.

Date

さあ、出発の時間です。ノートをめぐる冒険をはじめましょう。

No.

Date

目次

No.

Date

No.

Date

第3章 進めるために書く 管理のノート 101

No.

Date

No.

Date

No.

Date

No.

Date

No.

Date

補章　今日からノートをはじめるためのアドバイス　283

No.

Date

No.

Date

第1章

ノートと僕たち

人類を生みだしたテクノロジー

No.

Date

“過去は信頼できる記録ではない。
それは復元物であり、神話に近い
場合もある”

――『あなたの脳のはなし』
（デイヴィッド・イーグルマン）

“人間の状況の不条理に対する
もっとも効果的な解毒剤は、
芸術よりもむしろユーモアであると
私は確信している”

――『脳のなかの幽霊』
（V・S・ラマチャンドラン、サンドラ・ブレイクスリー）

複雑な脳のダンス

ノートの話をする前に、脳の話をしましょう。私たちの灰色の脳についてです。私たちの脳は複雑な器官です。単一の機能で見れば、脳より優れたコンピュータはいくらでも見つかりますが、脳の機能全体を模倣できるコンピュータはどこにもありません。もしそれを作れたとしても、脳と同じサイズで実現するのは不可能でしょう。進歩した現代の科学から見ても、脳はきわめて複雑な器官と言えます。

その複雑な脳の働きを理解するために、二項対立のモデルがよく用いられます。右脳と左脳、理系と文系、理性と感情、論理と直感、システム1とシステム2、システムIとシステムR。こうした分類の正確さはさておき、たしかに脳には異なる二つの部分があるようです。一つは進化的に古い部分で、直感・感情・本能と呼ばれる機能を担当し、非常にスピーディーに反応を返します。もう一つは、論理・理性・分析、そして言語を担当し、前者に比べるとゆっくりとした反応を返します。後者は大脳の表面を占める大脳新皮質が担っているとされ、ほ乳類は他の動物に比べてこの領域が大きく、人間はその中でも格段に大きいようです。つまり、人間が「知性」と呼ぶ機能は、進化的に新しい領域で担われています。

とは言え、この新しい領域だけが人間の特徴ではありません。むしろ人間の特徴とは、進化的に古い部分と新しい部分とが一つのシステム内に共存している点にあります。その二つがときに牽制し、ときに協調しながら一つのシステムを紡ぎ出している点が特異なのです。その複雑なダンスのステップこそが、人間そのものの複雑さにつながっています。

考えてもみてください。まったく本能的な動物はきわめてシンプルでしょう。空腹なら即座に餌を食べる。攻撃されたら反撃する。明日の天気を予想するよりもよほど簡単に行動を予測できます。一方で、まったく合理的な存在も同様にシンプルです。当人にとって非合理的なことは絶対にやらないのですから、条件の提示次第で相手を思うように動かせます。どちらも構造的に単純であることは共通しています。

しかしながら、人間はそんな風にはできていません。おなかが空いたらご飯を食べますが、「いやでも最近食べ過ぎだしな。今はやめておこう」と決めることもあります。そうして決めたにもかかわらず、やっぱり食べてしまうこともあります。非常に複雑なのです。こうした複雑性が持つ面白みや予測不能性を考慮に入れないと、「スーパーコンピュータは人間より計算が速いから優れている」なんて結論が出てきてしまいます。それは、きわめて視野の狭い考えだと言わざるをえません。二つの領域の複雑なダンスこそが、人間の面白さであり、複雑さであり、際立った知性の源泉なのです。計算することではなく、逡巡することが知性の表れなのです。

人類の偏った歴史の歩み

そのような複雑な人間が、長い時間をかけて文明を築いてきました。狩りをし、土器を作り、集落を作り、家畜を囲い、農業を営み、都市を作り、朝廷や王国を作り、工業が起こり、産業が発展し、やがてインターネットにまで至る文明の道のりを歩んできたわけです。また、文明と並行して走る文化の豊かさも百科事典や博物館を覗いてみれば一目瞭然でしょう。現代では、インターネットでそうしたさまざまな文化を目にすることも可能です。素晴らしき情報社会ができ上がっているのです。

面白いのは、そうした長い人類の歴史を一つの年表にすると、記述の密度に非常な偏りが出てくる点です。仮に人類の出発点を七千万年前とすると、文明化や近代化が進んだ紀元前からこちらの二千年はほんの一瞬（約0．00285７％）でしかありません。さらにパソコンやインターネットによる情報化が進んだのはそのうちのせいぜい五十年ほどのことです。その短い期間に人類は爆発的に発展し、社会を大きく変化させてきました。人類の長い歩みにおいて、文明化・近代化・情報化などの変化は、ごく最近のほとんど瞬きとも言える間に生じたわけです。これは極めて急激な変化と言えるでしょう。

そうした急激な変化のせいか、生物としての人間と、それが生きる社会やシステムとのズレが大きくなり、狩猟時代や農耕時代では問題にならなかったようなことが問題になりつつあります。ダンスのステップが崩れはじめているのです。

たとえば、近代化と共に寿命が延び、また情報化が進んだことで、一生のうちに扱わなければならない情報の量が爆発的に増えています。人間の長期的な記憶だけで対応できるものではありません。仮に脳に情報が保持されていたとしても、それをうまく引きだすことができないのです。人間は連想的に何かを思い出すのは得意でも、ピンポイントで狙った情報を「思い出す」のは不得意なのです。

また、一秒ごとに高速で流れ込んでくる情報を適切に判断し、処理していく能力も人間は持ち合わせていません。人間が一度に注意を向けられる量は限られており、たとえばそれはマジックナンバー（7プラスマイナス2）という上限が研究されています。

上限を持つのは短期的に向ける注意だけではありません。私たちが友好的な関係を構築し、維持できる相手は百五十人程度が限界であるというダンバー数という概念があります。小さな集落での農耕的生活であればそれだけあれば十分だったのかもしれませんが、インターネットやSNSがあたり前の時代では、その数では到底足りないことになります。私たちの親近感は脳的に不足しているのです。

さらに、人間の直感は即時的な反応を返す上で「パターン」を利用しているので、既知のものには強い反面、未知のものには弱い性質を持ちます。新しいことがたまにしか起こらない環境であれば、直感に頼ることは良い結果をもたらすでしょうが、新しいものが次々と高速で生じる状態ではうまく対応できません。結果、先入観やステレオタイプ（これらもパターンの一種です）にひどく引きずられることになってしまいます。複雑な事象を、自分が知っている既知の事柄の一種として単純化して処理してしまうのです。

総じて言えば、社会が発展し情報化が進んだことで、それまでの脳のダンスのステップがマッチしなくなっています。むしろ情報の流れの高速化は、素早い反応を要求し、本来必要であるはずのゆっくりな反応を抑制してしまうので余計にズレが大きくなります。力の強い方のリードが行き過ぎて、弱い方はステップを踏むことがままならず、振り回されている格好なのです。

とはいえ、その対策を私たちの脳の進化に期待することはできません。なぜなら、スピードが違い過ぎるからです。数世代をかけて変化していく遺伝子に比べると、情報技術の進歩は目まぐるし過ぎるほどです。脳の進化を待っている間に、二周も三周も環境の変化は先走ります。きっといたちごっこにすらならないでしょう。

かといって、指をくわえてその状況を甘受しなければならないわけでもありません。ただ受け身に暮らすだけが人間ではなく、状況に対応し、必要な対策をとるのが人類の人類たる所以（ゆえん）です。そのような所作が現代までの文明を築いてきました。同じように、私たち個人も状況に対応していけます。具体的には、ノートの力を借りるのです。

人類はノートと共にあり

人類はノートと共に発展してきました。もちろん、現代の私たちがイメージする、冊子としてのノート（ノートブック）だけではありません。石に刻む、木や竹に彫る、パピルスや羊皮紙にインクで書くなど、さまざまな「書くもの」が私たちの文化・文明を支えてきたのです。

ノート（note）は「記録する」や「記録」を意味する言葉であり、広く捉（とら）えれば、ナスカの地上絵もラスコーの洞窟画も一種の「ノート」と言えるでしょう。もちろん、手紙や写本、巻き物（スクロール）やグーテンベルク以降に当たり前となった本（コデックス）も広義のノートです。ここまでくれば想像がつくでしょうが、パソコンやスマートフォン、タブレットだってノートと呼べます。

おのおのの時代に新しく登場したノートというテクノロジー（マクルーハンならメディアと呼ぶもの）が、私たちと情報のつき合い方を拡大させてきました。その点は、人類がノートを使いはじめて以降急激に文化・文明を発展させてきたことからも、またそうしたノートの技術（記録技術・情報技術）が高まるほどより変化の速度が速く、また大きいものになっていることからもうかがえます。むしろ、ノートというテクノロジーが一切なければ、人類がここまで発展することはなかったでしょう。

あるいは、こんな風に問いを立ててみても面白いかもしれません。私たちはなぜ、自分の脳が適応できる以上の文明や文化を築くことができてしまったのか、と。

人類とテクノロジー

脳は、複雑な器官であり、だからこそ合理的とは言えない部分があります。部分的な愚かしさを持っていると言ってもよいでしょう。その（部分的に）愚かしい人間が、現代社会のように高度に発達した文明を持っているのはなぜでしょうか。限られた天才のおかげだけでないことは明らかです。なぜなら、どれだけ優れた人間でも、百年足らずでこの世から消えてしまうからです。そんな儚い存在が、これほどの文明を導けるとは思えません。

では、なぜか。さまざまな見解があります。『サピエンス全史』の著者ユヴァル・ノア・ハラリは、人類の特徴を虚構に見ました。そこにないものを信じられる力、それがピラミッドのような巨大事業を可能にしたというのです。たしかに言葉を操れる私たちは、現にそこにあるものだけではなく、「そうでないもの」「そうであるかもしれないもの」に言及することができます。これは他の生物にはない特徴でしょう。

また、『知ってるつもり　無知の科学』では、他者の知識の利用にその特徴を見ています。あたかも自分の知識であるかのように、他の人の知識を使える力を私たちは持つと言うのです。たしかに、ネットワークがつながっているパソコンのファイルのように、私たちは他人の知識をあたかも自分のものであるかのように使えます。賢い生物として有名なタコは、他のタコの真似をするようですが、人間は実物を見たことがない知識まで手を伸ばすことができます。そんなことができるのは人間だけでしょう。

どちらも説得的な意見ではありますが、本書では人間の特徴をノートに見ます。ノートという道具を使うことに、人類の人類たる所以を見立てるのです。

そもそも虚構にせよ他者の知識の利用にせよ、記録の存在があることで補強されるものでしょう。神は伝承としてだけでなく、刻まれる物語としても残り、後世に引き継がれていきます。新約聖書は、そのようにして引き継がれてきた物語の一つです。

他人の知識を利用するためにも、本人からその知識を直接聞くか、その知識が書き留められたものを読まなければなりません。もしノートがなく、口頭しか情報伝達手段がないならば、私は紀元前に生きたアリストテレスの思想を引き継ぐことなど望むべくもないでしょう。しかし、記録がある社会では、千円札を持って書店に行けば、紀元前の思想に触れることができます。これは、他の生物の情報伝達と比較したときに、恐ろしく強いアドバンテージを持っていると言えます。

私たちは情報を記録し、広く伝えることで、文化・文明を発展させてきました。つまり、ノート（記録）の力によって、人類は前進してきたのです。むしろ人類が「人類」を認識できているのは、自分たちの歩みと広がりを俯瞰できるだけの情報系を構築できたからでしょう。人類はノートによって成立したのです。

No.

Date

皮肉な社会の状況

ここまでの話を整理しましょう。

- 人間の脳は二つの領域による複雑な作用を持っている
- しかしその機能は完全無欠ではなく、ノート（記録）の補佐によって文明は発達した
- 結果、今では脳だけでは扱えない量の情報が生み出されている

皮肉なものです。脳の弱さを補うためにノートという記録装置（テクノロジー）が使われ、そのテクノロジーが社会の発展を促し（うなが）、その帰結としてノートがなければ立ち行かない社会にたどり着いたのです。しかも、昨今では脳の弱点、つまり直感的な判断が陥りがちな誤謬（ごびゅう）についてもさまざまに研究されており（行動経済学などの分野がそれです）、その弱点を積極的についてくる勢力もあります。物を販売するためのマーケティング、ソーシャルゲームなどの人を「中毒」にさせるデザイン、そして政治的な考え方や価値観を一方向に強めるプロパガンダなど、その領域は広く、また深いものがあります。どうでもいいかと放置しておくのは危険でしょう。

No.

Date

そこでノートの出番です。人類が現代社会を築き上げてきた力を、今度は私たち自身のために使うのです。

ノートは遍在する

そもそも意識しようがしまいが、私たちの生活はノート（記録）に囲まれています。買い物をすればレシートが発行され、カードを提示すれば企業のデータベースにポイントが記録されます。銀行の通帳には入出金の記録が並びますし、給料明細は一ヶ月の労働の記録です。経費を清算するためにはレシートという記録を提出しなければなりませんし、確定申告は正確な記録がものを言います。戸籍や住民票も記録ですし、あなたが今読んでいるこの本も一種の記録です。携帯電話を持って移動しているなら、GPSのデータが記録されています。記録だらけなのです。

2010年頃からはビッグデータという言葉も使われはじめましたが、もちろんそれも記録です。手帳ブームや日記ブームも記録の話題ですし、インスタグラムに写真を投稿したり、YouTube に動画をアップしたりすることも記録を使った活動です。結局、どこを見渡しても記録だらけです。アナログツールだけでも相当な記録がありますが、デジタルツールが普及するようになって、加速度的に人類が持つ記録の数は増えました。社会全体が、情報化（記録化）し、記録を扱うことが欠かせない状況となっています。むしろ、記録の扱いを通して情報を処理することが市民としての前提になっている社会を情報化社会と呼ぶのかもしれません。

また、そうした文明の発展をすべてはぎ取ったとしても、私たちがＤＮＡを持つ生命体である事実は残ります。ＤＮＡも一種の記録であり、記録であるからこそ、有用な特性が次の世代に受け継がれるのです。もしそれが揮発的で刹那的なものであれば、進化は起こり得なかったでしょう。つまり、遺伝子というコードによって、生命の脈は前の世代から、次の世代へとつながりつづけているのです。むしろ、人間の記録の扱いは、ＤＮＡ的な記録による進化を、高速かつ広範囲に回していく行為だといえるかもしれません。記録を扱うことは、生物的にも肯定されるのです。

このように、どこに目を向けても、私たちの周りには記録が存在しています。私たちは、記録に囲まれ、記録に支えられることで、現在の生を全うしているのです。

であれば、そのノートの力を意識的に、積極的に使ってみてはどうでしょうか。少なくとも、それを望むことはだいそれた話ではありません。ノートは、人類の歩みを力づけてきましたが、それは別に「人類」という集合に働き掛けたわけではなく、一人ひとりの人間がノートを使い、その能力を発揮させてきたに過ぎません。

だから、現代社会を生き抜こうとする私たちにだって、ノートの力は役立てられます。むしろ、そうした要請が現代では高まっているのかもしれません。

コラム　資本主義社会とは

情報社会の定義は難しいものです。そもそも、私たちは自分が生きている資本主義社会でさえ、きちんとした定義を知りません。白井聡さんの『武器としての「資本論」』では、物質代謝の大半が、商品の生産、流通、消費を通じて行う社会を資本主義社会だと定義づけています。だとすれば、情報代謝の大半が、情報的商品の生産、流通、消費を通じて行われる社会こそが情報資本主義社会と呼べるのかもしれません。

ノートの定義

ここで本書が名指すノートについて確認しておきましょう。本書では、人間が記録を扱うための道具すべてを「ノート」と呼びます。私たちが「ノート」と聞いて思い浮かべるノート帳（ノートブック）は、ノートの一つではありますが、それだけがノートではありません。大学ノート、レポート用紙、手帳、家計簿、日記、情報カード、パソコン、スマートフォン、タブレット、といった道具・端末だけでなく、書籍、論文、ブログ、グループウェア、SNS、Wikiのようなメディアも含めてノートと呼びます。書き留め、記録を残し、情報を後から使えるようにすること。そのような性質を持つ道具すべてが、ノートです。

コラム DNAはノートになるか

幸いというか、残念ながらというか、まだDNAは人類にとってのノートにはなっていませんが、それでも一部はその対象になりつつあります。最終的にはその力を手にするかもしれません。人間の欲求は限りなく膨らんでいます。

また、積極的に記録の力を利用しようとしている人をノーティストと呼び、そのための活動をノーティングと呼びましょう。本書は、ノートの力を踏まえた上で、ノーティングの技法を理解してもらい、ひとりでも多くのノーティストを育成することを目的としています。

天才的な活動で有名なレオナルド・ダ・ヴィンチも、ノーティストとして有名です。彼は奇妙なノートを積極的に取っていました。種の進化を発見したダーウィンもたくさんの観察ノートを取っています。それ以外にも、多くの科学者が積極的に観察日記や実験記録をつけています。彼ら彼女らもまたノーティストです。京大型カードの発案者と言われる梅棹忠夫もノーティストですし、手帳にいろいろ書きつけている人もノーティストです。一日の作業記録や、ダイエットのために体重や食事の記録をつけている人もノーティストです。その意味で、自覚することなくノートの力を利用している人はたくさんいるでしょう。

このように、いったんノートの定義を広くとれば、その活用の場は学業だけにとどまりません。仕事や趣味、プライベートなプロジェクトやゲームといった個人の活動すべてに広がっていきます。むしろ、現代社会で記録が使われていない場面などほとんどないことを考えれば、人生のどこにおいてもノートは活躍してくれるでしょう。その傾向は、情報社会になればなるほど強まり、個人だけでなく集団や共同体においても発揮されるようになっていきます。

なにせ、ノートにはチートとも呼べる力があるのです。使わない手はありません。

補完しあう脳とノート

では、なぜノートが良いのでしょうか。ノートという道具のメリットは何でしょうか。

具体的な効能についてはこれからの章で明らかにしていくとして、最初に大切なことを述べておくと、記録が私たちの記憶と補完的な関係にある点が重要です。別の言い方をすれば、記憶とは違った機能を持っているからこそ、両者は調和を持って機能します。

もし、二つが同じ機能を持っているなら、長所がますます伸びる反面、短所はまったく改善されないばかりかより強化されてしまうでしょう。しかし、記憶と記録の関係はそうなってはいません。足りない機能を補い合う関係にあるのです。この点は、きわめて重要です。

ノートは、脳と同じように使わなくても構いません。むしろ、異なることを意識して使った方がお互いの良さが発揮されます。脳は、直感的判断やパターン認識に優れています。それを否定する必要もありませんし、ノートにそれを求めても仕方がありません。ノートは、脳とは違った情報保持の仕方があり、提示の仕方があることが両者の関係を理解する上で重要なのです。つまり、脳は脳として使い、ノートはノートとして使っていく。それが大切な理解の第一歩です。

記録の力を発揮させられる基礎能力

もう一つ、ノートについて大切な点があります。それは「ノートは誰にでも使える」ことです。もちろん、これは強調した言い方に過ぎません。実際は、日本社会で義務教育を受けている私たちは識字の力を持っているので、誰でもノートが使える、というのが正確な表現でしょう。
百年単位で昔を振り返れば、識字は限られた人だけが持つ、高貴な（あるいは高級な）能力でした。教育が十分に行き届いていなかったからです。もし、あなたが識字力を持たないならば、今こうして本を読んで知識を得ることは叶いません。私の元まで出向いてきて（あるいはオンラインでビデオ会議をつないで）話を聞かなければならないわけです。その場合でも、聞いた話をメモに取ることはできません。そのような状況での知識の獲得や活用はきわめて困難でしょう。逆に言えば、日本で生きている私たちはすでにノートを使うための能力が教育されているわけです。やろうとさえ思えば、ノートを扱う準備は整っています。

かといって、その能力もまた完全とは言えません（そもそも完全な能力などありません）。たとえば本書を読んでいて、わからない単語や知らないエピソードに遭遇（そうぐう）したとしましょう。そうしたときには、この本という記録の力は十分には活かせません。もちろん、辞書やウィキペディアという別の記録を使えば、その「わからなさ」には対処できるわけですが、その記録にもわからない部分が含まれていればさらに調べなければなりません。そして、最終的にどこかで「自分が知っていること」にたどり着きます。もしたどり着かないならば、永遠にそれはわからないままです。つまり、書かれた文字や文章を読み取れる能力と、活用できる記録の数や質は関係しているのです。

ごく単純な例で考えれば、英語が読み書きできる人は、そうでない人に比べて利用できる情報の数は多くなるでしょう。それ以外の言語も使える人ならばさらに利用できる情報は多くなります。同様に、特定の分野の専門用語が理解できる人もそうでない人に比べて利用できる情報の数や質が変わってきます。

つまり、記録があればそれだけで人は強化されるわけではありません。その記録を読み解く能力があってこそなのです。幸い私たちのほとんどは識字の能力を持っているので問題はありませんが、この点は是非とも注意しておきましょう。

世の中には、親切かつわかりやすく情報を提示してくれているコンテンツがたくさんあります。しかし、すべてのジャンルにおいてそのようなコンテンツがあるわけではありませんし、そもそもどうやってもわかりやすくはできない情報もあります。読み解く力が高まらない限りは、そうした記録は扱えないわけで、外部の記録さえあれば、自分の読み解く能力を鍛えなくても良いという態度を取るのは問題があります。

No.

Date

とはいえ、辞書やウィキペディアの例からもわかりますが、記録を使うための記録という循環的な構造もありますし、英語の勉強にノートを使うことで、読み取る能力を向上させていくこともできます。ここでもノートは活躍するのです。むしろ、ノートを使うことで読み取る能力が向上し、さらにノートが使えるようになる、という拡大的な相互作用がそこにはあります。言い換えれば、ノートという外部記録を併用することで、自分の記憶を含む知性全体に変化が期待できるのです。そう考えれば、大切なのはノートではなく、「自分のノート」（自分の脳と結びついたノート）を作ることだと言えるでしょう。

今日からはじめられる身近なノート

上記と関係することですが、ノートは入手しやすいメリットも持ちます。これも日本が工業的に発展し、物が入手しやすくなっているからです。一昔前は紙は高価なものでしたし、少し前はパソコンが高級品でしたが、今は違います。百円均一ショップにはいくらでもノートが並び、A４サイズのコピー用紙なら一枚一円以下で購入できます。パソコンも十万円だせばかなりのスペックの機種が手に入りますし、三万円程度でもノートの用途なら十分なものが購入できます。個人用のパソコンが五十万円もしていた時代と比べれば、楽園のようです。その意味でも、現代においてノートはきわめて身近なツールなのです。

以上の話を合わせると、つまり、多くの人が識字の能力を持ち、ノートが入手しやすいという状況を考慮すると、ノートは極めて身近な道具であり、手法であることが見えてきます。今日、たった今からでもノーティングをはじめることができ、ノーティストを志すことができます。

ノートをはじめるために、特異な技能を訓練したり、特殊な道具を揃える必要はありません。すでにそのための訓練を終えている（あるいはそれを受けているところ）のが、現代の日本人です。

だからこそ、巷（ちまた）にはノートに関するノウハウが溢れているのでしょう。

乱立する記録本

書店の実用書や自己啓発書のコーナーを覗けば、ノートに関する本がいくらでも見つけられます。発想を広げるノート、夢を叶える手帳、人生を満たす日記、数え上げればキリがありません。しかも、長年ずっとそうした本が新しく発売され続けています。

ときに相反する内容すら含まれるそれらの本から言えることはなんでしょうか。どれか一つだけが正しいのだと断定するのは難しいでしょう。一人以外がすべて嘘をついていると仮定しない限りは、その考えは成立しません。そんな極端な仮定を持ち出さなくても、言えることが一つあります。それは、「何をどのようにであれ、書いていくことには効果がある」ということです。いたってシンプルな話です。

さまざまな書き方や内容の良さが主張され、それぞれの著者がたしかな成果を得ているのだとしたら、それらの具体的な個々の記述を超えて、「ノートを書いていく」という行為に普遍的な効果があるのではないでしょうか。少なくとも、そう考えればつじつまはあいます（そして誰も嘘つきにしなくてもすみます）。それに、「どのノウハウが本当に正しいのか」と詮無い追求をしていくよりは、むしろ視野を広げて、ノーティングに対する全般を肯定する視点に立つ方がはるかに建設的でしょう。

その視点に立てば、さまざまな方法を論じ、ノウハウを紹介する本たちは、有用な示唆を与えてくれるネタ元となります。たった一つの絶対的にうまくいく（つまり、それ以外はうまくいかない）方法を教えてくれる本ではなく、「ノートの使い方の一種」だと捉えられるようになるのです。

よって本書でも、「このノート術ですべてうまくいく」のような語りはとりません。そのかわりに、さまざまなノートの使い方を探究し、ノートの使い方とその背景を丹念に掘り下げていきます。そうすることで、それぞれの人が、自分に合ったノートの使い方や付き合い方を見つけられるようになるでしょう。むしろ、誰に対しても万能に効く「至高のノート術」ではなく、それぞれの人が自分に最適なノート術を発見・開発・改善していくことが、ノートとの上手な付き合い方だと言えそうです。

さて、準備が整いました。あとは、ノートの使い方を実際に見ていくだけですが、問題が一つだけ残っています。それも無視できない大きな問題です。

ノートの難しさ

先ほどさまざまなノート術から言えることとして、「ノートを書いていく」ことに効果があると書きました。「書く」ではなく、「書いていく」なのがここでは大切です。多様なノート術の本であっても、一日だけ、あるいは一回だけノートを書いたらすばらしい結果が得られましたと書いているものはありません。ある程度の期間、継続的にノートを使っていくのが大切だとどの本でも説かれています。なぜでしょうか。それは蓄積が情報の力を高めるからです。蓄積していない記録もそれなりに力を持ちますが、蓄積するとその力はさらに大きくなります。

たとえばデータ分析をイメージしてみましょう。一日だけの天気の記録がある状態と比べて、一年分、十年分、五十年分の記録があれば、より多様で精緻な分析が可能になります。もし、地球温暖化について分析したいなら、それ以上の期間のデータも必要になるでしょう。つまり、データが貯まることによって、はじめて可能になる知的営為が存在するのです。

定点観測することによって得られる考察もありますし、世界中の民族の生活を観察し、その結果を並べることで浮かび上がってくる知見もあります。個人の生活でも、一日の行動をずらっと並べてみたり、一年間の読書履歴を振り返ることで発見できる事柄があります。データがたくさん集まると、いろいろな「遊び方」ができるのです。

より大きな知的作業に進む上でも、アイデアの素材となる情報を集める上でも、記録の蓄積は欠かせません。つまり、ノートこそ「継続は力なり」なのです。

にもかかわらず、私たちはノートを継続できません。一番大切なことが、一番難しいのです。それが、ノートにまつわる最大の問題です。

ノートとダイエットの共通点

前述した通り、巷にはノート本が溢れ返っています。その理由は、それらのノート術に効果がないからではなく、提示されたノート術を読み手が継続できなかったことにあるのではないでしょうか。それらのノート術は口を揃えて「継続せよ」と言いますが、それができずに挫折したと感じてしまって、疎遠になってしまうのです。時間が経てば、また新しいノート術が登場し、それを試してみるもののやっぱり続かなくて挫折する。そんなことの繰り返しで、やがてはノートをまったく使わなくなってしまう。そんな風景が多くの場所で見られるのかもしれません。

この現象は、ダイエットでもよく見受けられます。よくよく考えれば、カロリーを抑えた食事をし、適度に運動しているならよほどのことがない限り太り続けていくことはないでしょう。つまりどんな方法であれ、継続していければ一定の効果は見込めるはずなのです。しかし、世の中を見渡している限りでは、どうにもそうはなっていません。つまり、継続できていないのです。

継続するための方法や習慣化の方法を解説した書籍もたくさん書店に並んでいますが、そうした本も繰り返し新しいものが発売されていることを考えると、どうやら根本的な解決には至っていないようです。

もちろん、それはそうでしょう。ここでもやはり問題は脳なのです。

ノートを続けられない僕たちの脳

ノートは脳を補助してくれます。そして、脳はその補助を必要としています。注意は限られており、記憶は不安定で、判断が環境によって揺れてしまい、長期的利益と目先の利益なら、目先の利益の方が大切に感じられてしまうのが人間の脳です。

だからこそ、ダイエットをしていながら、甘いものが目に入るとそれが食べたくなります。いや、ダイエットをしているからこそ、甘いものが食べたくなる気持ちが強まることすらありえるのです。実に困難な道のりです。

習慣化も同様で、習慣化の方法もまた、それ自身を習慣にしなければいけないのですが、それができないのです。これは、自分で自分の行動を監督する分野（セルフマネジメントと言います）において全般に言えることです。

つまり、人間の脳はノートを必要としているにもかかわらず、だからこそノートがうまく使えないという皮肉な構造があるのです。別の言い方をすれば、ノートの価値がうまく認められないのにノートの力は必要なのだ、という出発点の見つからない循環的な構造がここにはあります。

効果が感じられない行為

ある方法を実行すれば効果があると説得されたら、そのときは行動に移せますが、一日経ち、二日経ちとなると、その記憶は薄れ、新しい行動よりもそれまで続けてきた行動の訴えかけが強くなります。言い換えれば、新しい行動に重要度が感じられなくなるのです。結果、スイーツに手を伸ばし、運動が面倒に感じられるのと同じように、ノートも続けられなくなります。

ポイントは、私たちは何かをはじめるときに、本当にまっさらな「自分」としてはじめられることはほぼない、ということです。政府の機関に保護されて証人保護システムで新しい名前と戸籍を手に入れられない限りは、私たちは、昨日までの習慣を引きずって生活することになります。そこで、普段やり慣れた行動と、新しくはじめようとしている行動

（価値が薄れつつある行動）の二つが対立し、当たり前のように前者が勝ってしまうのです。

ノート術も同様です。ノートは「続けることで真価が発揮されるもの」ですが、そうであるがゆえにノートを書きはじめたばかりのときはその価値がわかりません。価値がわからないものは、行動の優先順位が低くなるのは当然の結果です。

人間の脳が、そうした価値判断を間違わない存在であれば、つまり記憶は鮮明で、判断が一貫した存在ならば、ノートを続けることは難しくなかったでしょう。しかし、そのような存在であれば、そもそもノートを必要としなかったでしょう。つまり、ノートを必要とする存在であるがゆえに、ノートが続けられないという逆説的な関係がここにあります。総括すれば、あなたがノートを続けられなくても、それは当然なのです。挫折を感じる必要はどこにもありません。

打開策の模索

では、どうしたらいいのでしょうか。

解決方法の一つは強制です。義務教育の頃は、ノートの価値などわかっていなくても、とにかく「そうしなければならないから」ノートを取っていたでしょう。もちろん、ノートを取らないことで後々不便が生じることはあったでしょうが、「これには確かな価値がある！」という実感を伴ってノートを取っていた人は少数でしょう。「ノートを取ること」が暗黙に（ないしは制度的に）強制されていたから、ノートを取り続けられたのです。

とはいえ、この解決には難点があります。大人の活動に、そうした強制力を発揮させるのは簡単ではありません。さらに、そうするのが望ましいことなのかどうかも不明です。それ以上に、価値の分からないものを強制的に続けさせられることで、その対象が嫌になってしまう恐れがあります。ノートという道具がこれだけ力強いにもかかわらず、あまり積極的に使われていないのは、すり込まれた苦手意識が背景にあるのかもしれません。

であればどうすればいいのでしょうか。打つ手はまったくないのでしょうか。もちろん、そんなことはありません（だからこの本を書いています）。そのような状況もまた、ノートの力によって乗り越えていけるのです。

最大のポイントは、ノートを不真面目に使うことです。

ノートを不真面目に使う

ノートを不真面目に使うとは、ノートを真面目には使わないことです。杓子定規に、言われた通りに、決まり切ったやり方に従わないことです。

皆さんは、歴史の教科書に出てくる偉人の写真に落書きをしたことはあるでしょうか。あるいは、ページの隅っこにパラパラ漫画を描いたことはどうでしょうか。どう考えても「真面目な」教科書の使い方ではありませんが、きっと楽しかったと思います。

そして、楽しいことは続きます。ノートも同じです。

これまでノート術を提示する書籍では、うまくいくやり方（ときには必ずうまくいくやり方）が紹介され、読者はその方法にぴったりと寄りそうことが期待されていました。それはある種の強制と同じです。しかし、学生ではない以上、本当の意味での強制力はありません。明日あなたがそのノートを使っていなくても、咎める人は誰もいないのです。学生であっても、学校以外の分野でノートを使おうとすれば同じことでしょう。そのような強制で、5％くらいはうまくいく人が出てくるかもしれませんが、全体としてはかなり小さいと想像できます。つまりほぼ無力ということです。

No.

Date

よって、強制やルールや規律に頼るのではなく、もっと不真面目に取り組めばいいのです。つまり、次のような観点を採用するのです。

- ノート法の通りにしなくていい、省略していい、アレンジしていい
- ノートを続けなくて良い、途中で止まっても気にしない

そんな不真面目なやり方で大丈夫なのかと思った方は、「真面目」に毒されているかもしれません。大丈夫です。日本中、いや世界中を見渡せば、いろいろな人がいろいろなノートの使い方をして、それぞれに求める成果を得ています。ノートの使い方は自由なのです。

決まり切った「正解」があるのではなく、それぞれの人にあったノートの使い方があり、それをいかに探り当てるか、作り上げるかが、ノートとうまく付き合っていく上で一番大切なことです。

その最終的な目標に比べれば、ノートを真面目に使うことなどたいした意味を持ちません。もちろん、ある技法をマスターするために一時的に指示されたことに従う必要はあるかもしれませんが（その際は最大限の真剣さで取り組むのがコツです）、それは時限式の真面

目さで大丈夫です。つまり、「とりあえず、方法が理解できるまでは言われた通りにやっておこう」という見せかけの、つまり不真面目な態度でいいのです。

最終的には、皆さんは自分のノートの使い方を自分で開発することになるでしょう。むしろ、ノートが使えるようになるとは、「自分なりの使い方」が作り出せることなのです。

自由にノートを使う

ノートは自由です。

私たちは義務教育の学校を出ると、ノートの使い方をいちいち指図されることはなくなります。ノートとは本来そのようなツールなのです。どのように書いてもいいし、何を書いてもいい。まったくもって、100%、完全無欠に、自分のためのツール。それがノートです。

現代では、そのノートツールが多様に広がっています。アナログツールだけでなく、さまざまなデジタルツールや端末が個人のノートとして活用できます。しかし、どれだけツールの選択肢が広がろうとも、根本的な原理は変わっていません。音声になっても画像になっても、その他まったく異なるデジタルツールであっても、ノートは自分のためのツールです。自分のために、自分が使うツールです。他人にとやかく言われる筋合いはありませんし、他人が答えを知っているわけでもありません。

これは大切なことです。


ノートは自由に使っていいのです。ノートは自由に使えるのです。

同じように、ノートは別に使わなくても構いません。これからノートの話をしようとしている本が何を言っているのかと思われるかもしれませんが、人を一つのやり方に縛りつけるのはノートの役割ではありませんし、ノウハウの正しい在り方でもないでしょう。

もちろん、ノートを使えばたいへんな効果を発揮してくれますし、あなたの最大の味方になってくれることも間違いありません。また、そのノートは自由に使っていけます。自分の望む記録を、望む形で生み出していくことができます。その自由さがあるからこそ、多様性のある人間を支えるツールとなるのです。

その自由さは、ノートをほとんどまったく使わないという選択肢も残してくれています。その点を忘れないでください。片方でメリットを伝えながら、もう片方で「それを使わないとあなたの人生はダメになる」と告げるのは呪いのようなものです。道具と人間の関係は、もっとフレキシブルで軽いものであるべきでしょう。

ノートを不真面目に使うことは、自由にノートを使うことです。そしてそれは、私たち一人ひとりが「自由になるため」にノートを使うことにもつながっています。

自分の情報環境を作る

自分のノートは、他の誰でもない自分のための情報源です。自分が作り、自分が使うための道具です。そしてそれは、一種の情報環境だと言えます。

手帳を思い浮かべてみればよいでしょう。予定やメモなどを手帳に書き込み、管理していくことは、日々自分が何を目にするかを自分で構築していくことを意味します。

考えてもみてください。毎日毎日自分が行った失敗を手帳に書きつけていたとしたら。その手帳を開くたびにきっとゲンナリしてくるでしょう。逆に、勇気が湧き立つ言葉を並べていれば、気分がアガってくるはずです。

これは手帳に限った話ではありません。自分が使うノートや日記やその他のツールに、どんな情報を書き留めていくのかを決めることは、自分が目にする情報を自分で制御することを意味します。自分の情報環境を、自分で構築すること――それは「自分」を作っていることに等しいと言えるでしょう。

あなたが食べたものによってあなたができているのと同じで、あなたが目にする情報であなたの意識は構成されています。栄養と同じように、情報もまたあなたを構成する素材なのです。

ノートを使いはじめるということは、そうした素材となる情報を他人任せや大手メディア任せにするのではなく、自分で作っていくことを意味します。手作りの、自炊の、手料理の、ハンドメイドの情報メディア作りなのです。

だからこそ、ノートは自由でなければなりません。

人が自由に生きられるように、ノートもまた自由に使えます。逆に言えば、ノートを自由に使うことで、人は精神の自由さを、つまりマスメディア的な情報環境からの離脱を手にできます。

大げさな話に思えるかもしれませんが、ラジオというメディアがいかに大衆操作に利用されたのかを考えれば、あるいはそうしたメディアがむしろ逆に「大衆」を作ってきたことを考えれば、心配しすぎということはないでしょう。

私たちは、私たち自身になるために、私たちのメディアと道具を、つまりはノートを手にするのです。

型にはまったノートの使い方は、義務教育期間中に徹底的に学んだでしょう。あるいはそれを学びすぎて、他のノートの使い方に及び腰になっているかもしれません。しかし、そろそろ離脱のときです。

これまでの日本社会では、既存の方法に自分を合わせることが重視されてきました。合わせる、慣れる、抑える、殺す。そういった姿勢です。寄らば大樹の陰がシンプルな行動原理となっていました。

しかし、現代の日本では頼りになる大樹はどこにも見当たりません。一流企業でも公務員でも安定という印籠（いんろう）を手にするのは難しくなっています。つまり、自分でつくり、育て、決め、責任を引き受ける姿勢が必要となります。それはまた、未曽有の事態に立ち向かう際に役立つ姿勢でもあります。

No.

Date

ノートを使うこと。ノートを不真面目に使うこと。ノートを自由に使うこと。それは自分なりに生きていく、最初の一歩となるはずです。

No.

Date

No.

Date

第2章

はじめるために書く

意志と決断のノート

No.

Date

“すべてのものは2度作られる”

——『7つの習慣』
（スティーブン・R・コヴィー）

“二度あることは、三度ある”

——日本のことわざ

No.

Date

ノートからはじめる

何かをはじめるとき、私はノートを作るところからはじめます。対象は何であっても構いません。新しい書籍の企画案、部屋の大きな模様替え、蔵書の大処分、英語の勉強、家計簿の見直し、日常へのストレッチの組み込み、カードゲームの研究……。仕事、家庭、プライベートの趣味とジャンルやカテゴリは問わず、何かをはじめるときはまずノートを作るのです。

具体的なツールはさまざまです。文房具屋さんでノート帳を新調することもありますし、普段使い慣れているデジタルノートツールに新しいノートブックを設定することもあります。そのあたりのチョイスは、時節と気分によって変わります。言い換えれば、なんでも構いません。対象について書くことができる場所が作れればそれでOKです。

そのようなノートは、さまざまな名前で呼ばれています。テーマノート、プロジェクトノート、イシューノート。どんな名前であっても、「そのこと」について書くための道具であることがわかれば十分です。言い換えれば、「そのこと」のための場所を作るのです。

何かをはじめるために、まず「そのこと」のための場所を作ること。

この技法とも呼べない技法が、本書のはじまりの技法です。

技法01 ノート作りからはじめる

No.

Date

この技法は珍しいものでもなんでもありません。私たちの日常に多く生息しています。

今年についてのノート

年末がせまってくると書店では来年の手帳が売り出されます。スマートフォンの登場で退場が噂されていた紙の手帳ではありますが、まだ存外に人気はあり、むしろ活発になっているアイテムもあるようです。やはりアプリと手帳では異なる感触があるのでしょう。

そのような手帳たちは、「その一年」について書くためのノートだと言えます。その年でやりたいこと、その年でやるべきこと、その年で起きたことなど、「その一年」に関することは、手帳に書くでしょう。言い換えれば、手帳とは「一年」というプロジェクトのノートなのです。同様に「これから我が家の出費を最適化しよう」と考えるならば、家計簿やおこづかい帳をつけはじめるでしょう。これも「入出金管理」というプロジェクトのノートだと言えます。

No.

Date

それらと同じ感覚で構いません。どんな対象についてでもよいので、自分が何かをはじめようと思うなら、その対象についてのノートを作りましょう。そこに情報を集めていくための道具を、言い換えれば、「そのこと」のための場所を作るのです。それがすべての出発点となります。

なんでも書いていい

では、そのノートにはどんなことを書けばよいでしょうか。もちろん、何を書いても構いません。「そのこと」についてなら、なんでもウェルカムです。やりたいこと、気になること、調べたいこと、買い揃えたいもの、集めた情報、他の人の意見、これからの段取り、自分の悩み、思いついたアイデア、エトセトラ、エトセトラ……。とにかく自分が「そのこと」に関係すると思えば何でもそのノートに書けばいいのです。なんなら、「そのこと」についてでなくても構いません。何といってもノートは自分のためのツールなのです。自分で書くルールを決めてなお、自分でそのルールを逸脱していくことができます。ノートの使い方には、罰則規定もなければ、目を光らせている審査員もいません。自由に使えばよいのです。

一見あたり前な話のように思えるのですが、自分が「これについて書こう」と決めたノートに、それ以外のことを書こうとするとき強い抵抗を感じるのは、おそらく私だけではないでしょう。そのようなルールの感覚（規範性と呼びます）が、私たちの行動を方向づけていることは念頭に置いておくのがよいでしょう。なぜならば、私たちが著名なノウハウを勉強するとき、一緒にそこに付随する規範性もインストールしてしまうからです。そして、知らず知らずのうちにノートを「自由に」使えなくなっていくのです。だからこそ、意識的に自由に使うことを目指す必要があります。

もちろん、無理に一つのノートにすべてのことを書く必要はありません（それもまた不自由さの一つの表れです）。「これについて書こう」と決めたこと以外のことが書きにくいならば、そのためのノートをまた別に用意すればいいのです。一冊のノートでやりくりしなければならないルールなどどこにもありません（もし、そんな風に感じていたのならば、どこかから規範性をインストールしてしまった可能性があります）。雑多なことを書きたいならば、雑多なことを書くためのノートを作ればよいでしょう。言い換えれば「思いついたことを何でも書く」というテーマを設けたノートを作るのです。そのノートは、自分が頭に思い浮かべたことを集めるための場所として機能してくれるでしょう。それもまた、一つのプロジェクトだと捉えられます。そういうスタートの切り方もありえます。

ともかく、ノートに何を書くのか、どう書くのかは基本的に自由な事柄です。極論すれば「なんでもよい」のです。ノートの使い方は使用者に対して開かれています。その点だけは、忘れないでください（なんなら今すぐノートに書いてみてください）。ノートには何を書いても構いません。それこそがノートの最大の魅力です。

しかし、「なんでもよい」と言っているだけでは何も言っていないのに等しいでしょう。また、「自由に使いましょう」と言われると、単にそれまで自分が知っている使い方にひきずられてしまう危険性もあります。そこで、「なんでもよい」のだけれども、という留保つきで、その全体から一部を取り出してノーティングの技法として紹介していきます。

当然、それらの技法は絶対的なものではありません。単に限定的に示しているだけだからです。よってノーティングの技法はいつでも改造し、改変し、逸脱して構いません。むしろそうすべきです。そのような変容を経ることで、はじめて自分なりのノートの使い方が生まれてきます。

その点を踏まえていただければ、これから紹介していく技法と気楽に（あるいは不真面目に）付き合っていただけるでしょう。

コラム　技法の絶対性

他国と比較したことはありませんが、日本の場合「先生」（指導的立場にある人）に絶対的な権力が置かれていて、彼ら彼女らが教える方法は絶対であると認識されることが多いようです。そして、そこでは教科書は聖典のように扱われます。しかし、一度教科書に書かれた事実も後になって間違いだったとわかることもあり、本当に絶対的なものではありませんし、教える側もひとりの人間なので間違いもあります。ノウハウを教える本を読むときも、それを絶対の方法として受け取るのではなく、技法（「なんでもよい」の一部を取り出したもの）だと捉えておくのがよいでしょう。

はじめるために書くこと

もう一度、最初の問いに戻りましょう。ただし、少し視点を変えます。何かをはじめるためにノートを作ったとして、そこに書くと役立つことは何でしょうか。

何かをはじめることは、新しく行動を起こすことを意味します。つまり、行動を起こしやすくするための何かを書けばいいわけです。行動は、「準備・実行・後始末」のフレームワークで整理できますので、まず注意を向けるのは最初の「準備」でしょう。

では、準備とは何をすることでしょうか。すぐに思いつくのは計画を立てることですが、その前に必要なものがあります。それが決意です。何をするのかを決めること。まず決めて、しかるのちに行動が生まれます。その逆ではありません。

私たちは日常的にさまざまな選択や決定を行っています。その中には意識的な選択もありますが、大半のものは無意識で行われています。のどが渇いたので冷蔵庫までお茶を取りにいく際に、「よし、お茶を取りにいくぞ!」と決意することはほとんどありませんし、冷蔵庫の扉を開けるときに、「右方向四十五度に右手を十三センチほど伸ばそう」と思うこともありません。そうした決定は無意識で行われており、私たちの意識にのぼることがないのです。そのような状態で行われる行動が、いわゆる習慣です。

一方で、はじめることを意識的に決めないといけない場合もあります。何かを新しくはじめる場合です。そこでは意識的な決定が欠かせません。なぜなら、新しいことは習慣ではないからです。そこでは無意識の決定は期待できません。よって、習慣＝無意識とは違ったルートでの決定が必要となります。つまりノートの出番です。

コラム　決定に不慣れ

私たちの無意識が日常的にたくさんの決定を行っていても、新しいことをはじめるための意識的な決定の経験は、意外に少ないのではないでしょうか。提示された選択肢の中から選ぶ経験はたくさん積んでいても、未知のもの、漠然としたものから何かを決めていく経験はこの社会ではあまり得られないものです。社会が親切すぎるのかもしれません。

そうした決定に不慣れだからこそ、ランキングといった選びやすい指標が好まれるのでしょう。たいした検討をしなくても、選択できるようになるからです。しかし、世の中にはランキングなど作りようのないものがたくさんあります。自分の生き方を決めるのも、そうしたものの一つでしょう。

意を決する方法

アメリカの100ドル紙幣にもその姿が描かれているベンジャミン・フランクリンは、友人に宛てた手紙の中で「功罪表」というノーティングの技法を紹介しています。やり方は簡単で、ノートの真ん中に一本の線を引き、その左側には決断を支持する理由（たとえばメリット）を書き、右側には決断に反対する理由（たとえばデメリット）を書いて、一通り書き出し終えたところで、両方の欄を見比べていきます。見比べ方は、いくつか方法があります。左側の項目を一つ消したら、右側の項目を一つ消す、というように単純に数を比べていくこともできますし、項目に重みづけ（重要なものは3、やや重要なものは2、残りは1）を行ってその合計値を競う方法もあります。なんにせよ、一度書き出してしまえば、決着のつけ方はさまざまに考えられるので、自分好みの方法を模索すればよいでしょう。

また、そうした順位づけを行わなくても、功罪表を書き出していくうちに決定が行えるようになることが少なくありません。書き出していくうちに、自分の考えが整理されていくからでしょう。どちらを自分が選びたいのかが少しずつわかってくるのです。

技法02 フランクリンの功罪表

一つ注意しておきたいのは、この功罪表は完全完璧な合理的決断を下すための技法ではないことです。実際、フランクリンの功罪表には批判もあります。いわく、良いところや悪いところを思い出すのは、人間の脳であり、脳は偏り（バイアス）を持っているので客観的に正しい内容にはならないだろうと。たしかにその通りでしょう。しかし、私たちが行う決定は、どこかの国に戦争を仕掛けるかどうかを決めたり、科学における絶対的な真理を決めたりするものではありません。あくまで、自分の人生における決定を下そうとしている

iPadを買うかどうか

メリット側	デメリット側
~~ページが無限~~	~~高価~~
~~たくさんのアプリ~~	~~バッテリーが必要~~
~~編集しやすい~~	~~操作に慣れが必要~~
マンガも読める	

だけです。その決定が自分の「思い」に傾いていたとしてどんな問題があるのでしょうか。

人間は、何かを決めないと行動に移せません。行動より先に決定があります。よって、大切なのは決めることです。正しいかどうかわからないから決められない、というのではどんな行動も起こせません。行動が起こせなければ、それが正しいのかどうかも判断できないわけですから、堂々巡りです。そこから抜け出すことは叶いません。ですので、完全完璧な合理的判断ではなくても、客観的に正しいと言い切れなくても、とりあえず決めてしまうことです。決めた後に、さらに検討すればいいのです。

そうしたとき、決めるべき対象についてメリットとデメリットを両方書き出していくのは有効です。なぜなら、決めるのが難しい対象は、複雑であり、関係する要素をたくさん持つからです。注意の限られた脳でそれらを一気に扱うことはできません。だからこそ、ノートに書き出すのです。

No.
Date
コラム　ビュリダンのロバ

おなかをすかせたロバがいます。右と左にはそれぞれまったく同じ距離に、同じ量の干し草が置かれています。そのときロバは右に行くべきか、左に行くべきかを決定することができずそのまま餓死してしまう、というたとえ話があります。このロバにとって必要なのは決めることです。「俺は右利きだから右に行こう」という論理的でもなんでもない理由であっても、右に行くことさえ決めればいずれは餌にありつけます。決定することはとても大切なのです。

自由に書く

もし、功罪表も作れないほどに混乱していて、何を決めたらいいのかすらわからない状況なら、フリーライティングをしてみましょう。

フリーライティングとは、名前の通り自由に書くノーティングの技法です。書く内容を決めず、文章の形や言い回し、正しい言葉使いなどについても一切気にすることなく、ただ頭の中に浮かんできたことを書き出していきます。

最初は少し戸惑いを感じるかもしれませんが、慣れてくるとその爽快感（そうかい）に驚くことでし

No.
Date

ょう。ちなみに「何も書くことがないよ」と思ったら、何も書くことがない、と書きましょう。自分の心に浮かんでいる言葉をそのまま書きつければよいのです。すると、書かれた言葉がまるで呼び水のように働き、次から次へと思いや考えが表に出てきます。書き出すことで、湧き出すのです。

そうして書き出したものの中には雑多なものがたくさん含まれています。海中に適当に投げた網のようなものです。その網をそのまま一気に引き上げたので、さまざまなものが引っかかっています。しょうもないことから大切なことまで区別なく含まれています。それを読み返しながら、これは大切なことで、これはそうではないと意識的に選別していくのです。

同じことを心の中だけでやろうとすると、かなりの負荷がかかります。なぜなら心の中に浮かんでくるものには優先順位がないからです。にもかかわらず、一度思いついてしまうとそのことが心を占めます。重要であろうがなかろうが、すべてがフラットであり、同じくらいの場所を占拠してしまうのです。心の中では、「今日の晩ご飯は何かな〜」と、「来年の日本はどうなっているだろうか」という心の声は同じ大きさであり、等しく人間の注意を奪っていきます。だからこそ、細かいことかどうかは考えずに、一度紙の上にすべてを出してしまうのです。そうすることでようやくそれらの事柄を選別できるようになります。何について考えたいのか、何を自分は決めたいと思っているのか。それが見えてくるのです。

そこまできたら、フランクリンの功罪表を使うこともできますし、後の章で紹介する思考の技法を使うこともできます。スタートを切れるのです。

技法03 フリーライティング

書き出すこと

「書き出す」という言葉は、「書きはじめる」という意味もありますが、それに加えて「書いて（頭の中のものを外に）出す」行為だとも捉えられます。ノートで決定するときに行うのは、まさにそうしたノーティングです。

先ほど紹介した二つの技法の要点も、頭だけで考えないようにすることにあります。考えようとしているもやもやとしたものをいったん外に出して、そこから検討をはじめるのです。

頭だけで、つまり空で考えることは、たしかに楽です。だからついつい頭だけで考えがちです。あるいは、そうすることに慣れているせいかもしれません。習慣になってしまっているのです。そのせいで、書き出して決定する経験が不足している可能性があります。

空で考えること（空考と呼びましょう）は、自由に連想が広がっていくのでアイデア発想において役立ちますが、多様な情報を同一平面で扱わなければならない判断や決定においては、書いて考えること（筆考と呼びましょう）の方が役立ちます。「考える」という行為でも、その実体にはいくつかのバリエーションがあるのです。

暗算と筆算では、取り組める数式の難易度が異なるように、空考と筆考では決定できる対象の複雑さが異なります。新しいこと、つまり慣れていないことに取り組む場合は、複雑な思考が要求されるので、考えるための補助ツールとしてノートはたいへん役立ちます。

とは言えここで大切なのは、ノートに考えさせるのではない、という点です。もちろん、アナログのノート帳は自動的に何かを考えてくれることをしませんが、デジタルノートが発達したら何かの答えを提示してくれるようになることは十分考えられます。しかし、そのような決定のスタイルが好ましいとは言えません。たとえ間違っていても、あるいは主観たっぷりであっても、自分で考えて、自分で納得した決意を行うこと。それが何かを決めるために必要なことです。そのための道具としてノートを使っていきましょう。ノートと共に考えていくのです。

決意を書き残しておく意義

ノートを使うことで、頭の中を書き出し、そうすることで考えがうまく進められるようになることはわかりました。ではなぜわざわざノートという場所を作り、そこに書き「残して」いくのでしょうか。一度書いて整理し終えたら、その記録は用済みではないのでしょうか。

その答えは、現実的かつ残酷な事実の中にあります。その事実とは、私たちの実行は失敗が運命づけられていることです。なぜでしょうか。そこには習慣の強さが関わっています。

習慣の強力さはさまざまな場面で語られています。仕事術や自己啓発に興味を持ったことがある人なら、「習慣化」について一度以上は話を聞いたことがあるでしょう。意識していなくても行われる行為は、実行しやすく、実行されるならばたとえそれが一日五分程度であっても、一年間継続し続ければすさまじい量の時間となります。積み重ねの力、継続の力です。実行するために意識的な決定が必要ない習慣は、継続する上で重要な役割を持つのです。

しかしながら、習慣は良いものばかりではありません。悪い習慣もありますし、良くも悪くもない習慣もあります。そして、人間の一日の行動は良くも悪くもない習慣で占められています。

しかし、そのことに多くの人が気がついていません。なぜなら、習慣は無意識で行われる決定だからです。注意を向けないので、それがあることに気がつかないのです。だからでしょう。何か新しいことをはじめようとすると、真っ平らな場所に新しい箱を置く行為であるかのような気がします。しかし、実際は異なるのです。日々は、既存の習慣で構成されているのです。その習慣たちが、新しくはじめようとする行動を邪魔します。抵抗勢力となってしまうのです。

たとえば、何か新しいことをやろうと思っても、すでに存在している日々の習慣が、無意識に実行されてしまい（それが習慣の特徴なのでした）、結局やろうと思っていたことをすっかり忘れてしまう。そういうことはよくあるのではないでしょうか。

そのような現象は、私たちの習慣の強さから考えればごく自然な結果です。習慣の力が強大であればあるほど、新しい行動をそこに潜り込ませるのは難しくなります。新しい行動がうまくいかないのは習慣の力が強すぎるからなのです。だから、うまくいかなくても落ち込む必要はありません。単に、無意識の力とはそこまで強力なものなのだなと理解すればいいだけです。

だからこそ、一番最初はノート作りからはじめるのです。

物リマインダー

既存の習慣が新しい行為を忘却的に押し流してしまうなら、その流れに抗う（あらが）ことが対策となります。その際必要なのは「思い出させる」ことです。無意識＝習慣の中で忘れ去られてしまうことを、能動的に思い出せれば、無意識の流れから逸脱できます。そこで役立つのがリマインダーです。

リマインダーとは、何かを思い出させるための装置の総称です。たとえば、目覚まし時計は起床時間のリマインダーですし、カレンダーアプリからスケジュールの通知がメールで届くのもリマインダーです。こうした道具があるおかげで、私たちは覚えておくべきものを一時的に忘れ、必要なタイミングで思い出せるようになります。

そうしたリマインダーは、特別な道具やアプリケーションを使わなくても実現できます。たとえば、記入しなければならない書類を机の上に置いたままにすることはないでしょうか。その書類を見れば「書類を記入しなければならない」ことを思い出せるという意味で、書類自身がリマインダー的な働きをしています。私はこれを物リマインダーと呼んでいます。

技法04 物リマインダー

何かをはじめるときにノートを作ると、そのノート自体が物リマインダーとして機能してくれます。つまり、何かはじめようとしていたそのことを思い出させてくれるのです。

何かをはじめるときに最初にノートを作るのはそのためです。ノートそのものを目にすることで、自分が何をやろうとしていたのかをリマインドするのです。

この物リマインダーの考え方は、名前通り実体を持った「物」であるアナログノートが活躍します。逆に、デジタルノートだとこうした物リマインダーとしての効能が薄れます。たとえば、スマートフォンでノートアプリを使っていても、そのアプリ内にノートブックを作ると、アプリを開くまではそれが目に入りません。つまり、思い出せないのです。だからこそ、デジタルノートの場合であれば普段よく使う（よく目にする）アプリにノートを作るのが大切になります。あるいは、その目的のためだけにしか使わない新しいノートアプリをインストールして、そのアプリを見れば自分が何をやろうとしていたのかを思い出せる形をとってみるのもよいでしょう。

手帳で夢が叶う理由

このリマインダーの考え方を用いれば、よく言われる「手帳で夢が叶う」という言説も納得がいきます。これは別に手帳に不思議な力が宿っているわけではなく、ごく普通に生活していると時間と共に忘れ去られてしまう「夢に向かう決意」を、毎日のように思い出すことができ、それが夢につながる行動のモチベーションを上げるから、そうでない人に比べて夢が叶いやすい、という話なのでしょう。手帳は決意リマインダーなのです。

この話には夢も希望もないように思えますが、手帳に本当に不思議な力があったとしても「来年のオリンピックで走り幅跳びで金メダルを取りたい」という夢を同時に二人以上が抱いてそれを手帳に書いても、どちらかの願いしか叶わないわけですから、そもそもの期待が高すぎるのです。

かといって何の力もないわけではなく、手帳に夢を書いて、毎日それが目に入るようにするだけで、自分のモチベーションが動き、それによって一日の行動がたとえ五分でも変わるならば、トータルとして大きな違いが生じます。そうした力は有効に利用していきたいものです。

別に手帳でなくても構いません。家計簿に貯金の目標金額を書いたり、体重計の前に目標体重を書いて貼っておいたりすれば、そのたびごとに自分が何を目指そうとしていたのかを思い出せます。逆に言えば、そのような仕組みを作らない限り、人は決意を忘れていく（あるいは軽んじてしまうようになる）存在なのです。

技法05 決意リマインダー

もちろん、毎日決意を思い出してもうまくいくとは限りません。というか、そうでないことの方が多いでしょう。それくらい既存の習慣の力とは強いものです。だからこそ、ノートを書くのです。

計画の誤謬

さて、この事実は世界中の人々に知っておいてもらいたいのですが、実は人間はうまく計画を立てることができません。

計画が必要になるのは、たいてい新しい行動ですが、新しい行動は人間の直感がうまく扱えないものです。よって、直感的に立てた計画はだいたい的外れなものになります。しかも、計画を立てようとしているときは、楽観的な気持ちになっています。未来に希望を感じ、自分（たち）ならばやり遂げられると感じるからこそ計画を立てるのです。そうした感情に引きずられて直感が立てる計画は、当然のように楽観にひどく偏った計画になります。その事実が明らかになるのは、いつも実行に移してからです。後悔が先に立つことはありません。

　面白いのは、人間のそのような心理的傾向を理解している学者であっても、いざ自分たちの計画を立てようとすると同じようなミスをやらかしてしまう点です。錯覚や錯視のように、それが起こることが分かっていても防ぐことは叶わないのです。

　では、どうすればいいのでしょうか。一つにはまず計画を立て、その後に下方修正するやり方があります。楽観的に計画を立ててしまうのならば、それを踏まえて、もう少し現実的に計画を修正するのです。これは現実的な考え方ですが、「どのくらい下方修正すればいいのか」についてが未知なので、それだけではうまくいかないでしょう。

　そこで二つの考え方が出てきます。一つはプランBで、もう一つは動的な修正です。

うまくいかなかったらどうするか

　プランBとは、ベースとなるプランがうまくいかなかった場合の計画のことです。計画が挫折したとき用の計画、あるいは代替計画と呼べるでしょう。

　精神論・根性論が好まれる組織においては、「はじめから失敗したときのことを考えてどうする」と嫌われるプランBですが、うまくいかなかったときのケアを考えることは現実的にはきわめて重要です。車の保険に入るのに「はじめから事故を起こしたときのことを考えてどうする」と怒られるのは理不尽なことからも、プランBの有用性は確認できます。

例を挙げれば、「ダイエットするためには筋トレが必要だからそのメニューを作る。でもうまくいかないかもしれないし、そのときは筋トレではなくジョギングに切り替えよう」と考えておくのがプランBです。その意味で、プランBも下方修正の変種に位置づけられるかもしれません。完全無欠にうまくいく、という計画から、「もしかしたらうまくいかないかもしれないし、そうなった場合に次善の策を考えておこう」と楽観性を修正しているわけです。それだけで、ずいぶんマシな計画になります。

技法06 プランB

もちろんこうしたプランBは、100%完全にうまくいけば無用になるものです。そのプランを考えたことも、役立たなかったという点では無駄になります。とはいえそれは、一度も事故を起こさなければ保険料が無駄だったというのと同じです。潜在的には、きちんと価値があったのです。それを軽んじてしまうのは、「絶対にうまくいくはずだ」という傲慢さの表れでしかありません。当然、足を掬われたときに一番致命傷となるのは、そうした傲慢さです。そして、人間の計画とはだいたいうまくいかないものなのです。

計画を動きながら修正する

もう一つの方法が、動的な修正です。

現代の飛行機は、目的地に向けてまっすぐ進んでいるように思いますが、実際は細かい微修正を繰り返しているようです。つまり、最初に方角を決めたらそこに向かってまっしぐらに進むのではなく、常に目的地と現在地点との方向を確認して修正を行っているのです。

最初に立てた計画がうまくいかないとわかっている場合にも、このやり方は使えます。実行しながら微修正を重ねていくのです。

一般的に、計画の立て方にはフォアキャストとバックキャストの二つがあります。フォアキャストは、これまでがこうなってきたから未来はこうなるだろうと帰納的に考え、だったらどんな行動が必要になるかを決めるアプローチです。一方バックキャストは、「こういう未来を目指したい」という理想を立て、それを実現するためにはどんな行動が必要なのかを考えるアプローチです。もちろん、後者のアプローチでは理想が実現する保証はありませんが、前者であっても過去と同じ状況がずっと続くわけではない点で不確実性を備えています（新型コロナウイルスでその事実は痛感されていると思います）。

よって、どちらの方式で計画を立てたとしても、やはり間違いがありうるのです。人間の直感的なバイアスを抜きにしてすら、計画には不完全性があります。だからこそ目標を立て、それを実現するために必要な行動のリストを作ったとしても、常にそれを修正していくことが有用です。

一般的に、行動のリストはタスクリスト・ToDoリストなどと呼ばれていて、これらもノートに書いておくのがよいのですが、その点は次章で詳しく検討します。ともかくそうしたリストも、一度作ったものをそのままずっと使い続けるのではなく、適宜見返して修正していくことが大切です。

もちろん、それが可能になるのは脳の中ではなく、記録としてノートに保存するからこそです。書き留めておかなければ、書き換えることはできません。修正するためにも、記録は必要なのです。

そこに向かって進み続けること

計画に誤謬が含まれるなら、はじめからそんなものを立てなければいいのでは、という疑問があるかもしれません。一考に値する意見ですが、ここでもやはり習慣が顔を出します。

私たちの習慣はあまりにも強いので、外的な力がなければまるで変わらない生活が続いていきます。それで充実感・満足感が得られているならば特に問題はありませんが、自らの力を使って社会に貢献していきたいと考えているなら、それだけでは十分ではないでしょう。

マネジメントの大家ピーター・ドラッカーも、かなりのノーティストでした。たとえば彼は、自分が仕事にどれくらいの時間を使っているのかを細かく記録していたようです。メールに十五分、原稿執筆に六十分といった感じで一日の記録をとり続けるのです。いってみれば、時間の家計簿です。もちろん、ほんとうに毎日ずっと続けていたわけではなく、二週間ほどの期間限定だったようですが、たとえそれだけの期間でも自分の行動記録をノートに書いてみると、わかることがたくさん出てきます。自分の行動に関する情報が得られるのです。私も一ヶ月ほどやったことがありますが、長くかかると予想した作業が案外すばやく終わり、五分程しか使っていないと思っていた作業に二十分以上もかかっていたなんてことが珍しくありませんでした。そんな曖昧(あいまい)な状況で計画を立ててうまくいくはずがありません。だからこそ、記録をしてデータを収集するのです。

技法07 行動記録

また彼は、年に一度「来年はどう過ごすか、どんなことを為し、何を身につけるか」について考え、それをノートに記していました。そして、その年の終わりにノートを読み返していたようです。残念ながら、そうして立てた目標が完全に達成されたことは一度もなかったと彼は述べていますが、そうした活動の継続によって、彼は毎年新しい目標に向かって進み、精力的に仕事を成し遂げていったわけです。誤謬が含まれるから計画を立てない、という態度ではこのような成果は望むべくもないでしょう。

もしかしたら、こんな話はバカげていると思われるかもしれません。一年に一度目標を立ててそれを読み返しただけで、何が変わるのかと。その気持ちはよくわかります。ですので、一度騙されたと思ってノートを作り、そこに書いてみてください。そして三ヶ月後にそのノートを読み返してみてください。きっと驚かれると思います。なにせ書いたことをほとんど覚えていないのです。おそらく、そうしてノートに書いておかなければ、自分が目標を立てたことすら忘却していたでしょう。人間の記憶とはそのようなものなのです。

技法08 目標の読み返し

付言しておくと、「三ヶ月後にそのノートを見返す」という行為すら忘れてしまいます。ですので、そのノートを物リマインダーとして使うか、あるいは普段使いのカレンダーに記入しておく必要があります。そこまで手をかけてやらないと、私たちは非習慣的な行為を成せないのです。それだけ直感や習慣に頼り切って生きているのです。

No.

Date

コラム 忘れることのメリット

人間はどんどん忘れていったり、都合よく記憶を変えてしまうことが頻繁に起きま

No.

Date.

す。もちろんそれは生物的な不具合ではなく、単にそうであった方が生存に適しているからです。もし不都合な記憶をまったく忘れられないなら、一度絶望を経験した人は二度と立ち直れないことになります。だから、脳が忘れる機能を有しているのはよいことなのです。だからこそ、覚えておきたいことはノートに記しましょう。忘れる脳、覚えるノートの役割分担です。

ぼうけんのしょで復帰可能な状態を作る

ここまで、何かをはじめるにあたってノートに記しておくと役立つことを紹介してきました。もちろん、これらを含めてノートには何を書いても構いません。むしろ、「そのこと」についてなら何でも書いておいた方がよいと言えるでしょう。

なぜでしょうか。それはここまで工夫したとしても、やはり挫折することはあるからです。修正しようが、プランBを準備しようがダメになることはあります。単純にやる気が枯渇してしまうこともありますし、何かしらのアクシデントによって中断を余儀なくされてしまうこともあります。人生何が起こるかわかりません（あなたの想像力よりも、人生の可能性の方が広いのです)。

しかし、たとえ挫折したとしても、ノートさえ書いてあれば大丈夫です。時間が経ち、再び歩みを進めようと思ったとき、再開するための準備は整っています。自分がどこまでやったのか、何をやろうとしていたのか、そもそもなぜそれをやろうと思ったのか。それが記録として残されています。曖昧な記憶ではなく、そのときの記憶を綴った記録として存在しています。自分の感情が、そこに刻まれているのです。そのノートを読み返せば、いつでも自分の「歴史」や感情を思い返すことができます。もしそのときの自分が、ノートの気持ちに共感できるなら、再び歩み出すことができるでしょう。

かつてのロールプレイングゲームには「ぼうけんのしょ」がありました。簡単に言えばセーブデータです。たとえば、もうそろそろゲームを終えようというタイミングで教会に行き、その時点までのゲームデータを「ぼうけんのしょ」にセーブします。そうすれば、電源を切っても次回その状態からゲームを再開できるようになります。つまり、中断と再開を可能にするのが「ぼうけんのしょ」です。

それだけではありません。たとえば、手ごわいダンジョンに臨むときや新天地へと赴くときにも、「ぼうけんのしょ」は活躍します。出発の前にセーブしておけば、全滅してもやり直せますし、気に入らない結果になった場合も再チャレンジが可能です。

そのときに起きるのは、まったく同じことの繰り返しではなく、現実の自分が「経験」という知識を得ている状態でのリスタートです。ダンジョンに毒を持つモンスターが多いことがわかっていれば、毒消し草を十分に揃えることができますし、レベルが足りないならレベルを上げてから再挑戦できます。つまり、「ぼうけんのしょ」があることで、未知の事柄にチャレンジできるようになるのです。そして、そのチャレンジの過程を、自分の経験として活かせるようにもなります。

手ごわいダンジョンへの挑戦はたとえ話にすぎませんが、現実の物事にもやってみてはじめてわかること（やってみなければわからないこと）はたくさんあります。そうした物事は、何かしらの結果を得てからしか考えることができません。自分はどんな風に失敗するのか、何が原因となって行動を妨げているのか。そうしたことは、やってみないと（失敗してみないと）わからないのです。逆に言えば、ノートにさまざまなことを書いていけば、挫折や失敗があったとしても、その結果から考えることが可能となります。

もちろん、ゲームと違い人間の生は一度きりであり、それ自身を繰り返すことはできません。しかし、行為は違います。行為は繰り返せるのです。そのとき、セーブデータを持たずただ繰り返すのは、完全にゼロからのやり直しになるのに対して、ぼうけんのしょとしてのノートがあれば、さまざまな経験を味方につけられるのです。

No.

Date

コラム　ゲームの中のノート

ゲームの世界にはセーブデータという記録がありますが、それ以外にも現実世界にはない記録がたくさん存在しています。たとえば、現実世界にはステータスウィンドウがありません。自分の状態や能力は、あくまで自分の感覚でのみわかることです。また、いつでも確認できる正確な地図は標準装備されていませんし、どのようなスキルを自分が獲得していけるのかを示すスキルツリーもありません。自分の手持ちの道具を一覧できるアイテムボックスすらありません。どう考えても、現実世界の記録は圧倒的に不足しています。

もし上記のような記録不足のゲームをプレイしたら「クソゲーだ」と投げ出したくなるでしょう。しかし、現実世界はそのような状況なのです。だからこそ、自分で積極的にノートを書き、記録を生み出していくことが大切です。

No.

Date

記録が知見を重ねる学術論文

ノートを書いておくことで、失敗を知見として役立てられるようになります。そして個人の生活以外でも、さまざまな「失敗」が前進のために活かされている場面があります。たとえば学術論文などは好例でしょう。

何かの実験でこういう結果が出たという発表があった後、その実験の追試が行われて「この方法でうまくいかなかった」と報告されることがあります。失敗の一つです。そうした報告がいくつも集まるならば、最初の発表がそもそも間違っていたと判断されます。失敗報告が積み重なって、一つの失敗が明らかになったわけです。しかし、それで科学が後退したわけでもなければ、前進していないわけでもありません。「その実験では望む結果が得られない」という新しい知見が得られたのです。将来研究をする科学者は、選択肢を一つ外して考えることができます。これは前進と言えるでしょう。

そこまで大きな話を持ち出さなくても、「うまくいかないことがわかる」は一つの知見だと言えます。そこから改善策がわかることもありますし、まったく違うアプローチを考えるきっかけになることもあります。何も考えずに、ただ同じことを繰り返して、同じ失敗を重ねているだけよりもはるかに生産的でしょう。記録を残していれば、そうした同一失敗のループを抜け出す手がかりが得られるのです。

日本社会では、どうにも失敗への嫌悪感が強いところがあります。それは、均質的なムラ社会であったり、あるいは生き方が一つのルートしかなかった時代の名残なのかもしれません。しかし、失敗することは、それほど悪いことではありません。失敗を経験してわかることもたくさんあります。記録をつけることは、失敗や挫折の捉え方を反転させ、それを知見として活かす道のりをつなげてくれるのです。

意志をうまく使う

以上のことは、基本的に面倒な行為です。ちまちま考えたり、それを書き留めたりするくらいならさっさと行動に移した方が話が早いように思えますし、実際その方が楽ではあるでしょう。特に意欲が高まっている序盤であればあるほど、実行に移したい気持ちが強まり、ノートなんて書いていられるかという気持ちが強まります。

しかし、想像してみてください。挫折や失敗が価値を持つにしても、その渦中にいるときに「今から記録して立て直そう」と思えるでしょうか。むしろ、渦中にいるときは一番意欲が消沈（しょうちん）しているのではないでしょうか。そんな状況で「やる気を出せ」と発破をかけるのはあまりに精神論頼みですし、ブラック的ですらあります。

では、どうすればいいのでしょうか。答えは簡単で「やる気」が一番高い瞬間に対策をしておくのです。つまり、何かをはじめようとした瞬間です。だからこそ、最初にノートからはじめるのです。

たいてい何かをはじめようと思った瞬間は、「思い立ったが吉日」とばかりに行動することだけに意識を向けがちですが、それを少しだけ挫折に備えることに向けるのです。それがまさに「ノートからはじめる」ことです。


やる気の高まっているときの自分と、将来失敗を経験している自分とを橋渡しするために、ノートは活躍してくれます。ある意味で、ノートとは未来の自分に情報を送るためのタイムマシンでもあるのです。

　挫折してから行動を起こすのはコストが高いですし、むしろ行動が起こせない可能性もあります。そこで前もって「やる気」のあるうちに挫折に備える行動を取ることを、「やる気」のヘッジと私は呼んでいます。

　ヘッジ（リスクヘッジ）とは、投資・金融業界で使われる言葉で、簡単に言えば「もしも」に備える手法です。たとえば、製鉄業界の業績向上を予想して株式を買うならば、もしその予想が外れたときに逆に株価が上がる業界の金融商品も一緒に買っておくような投資手法を指します。もちろん、予想通り製鉄業界の業績が上がれば、そうした備えはまったく無駄に終わりますが、逆に予想が外れてしまったときは大損を避けられます。保険と似た仕組みなわけです。

　やる気に満ちあふれ、「行動」することで頭がいっぱいになっているときは、失敗に備えることは無駄なように思えます。しかし、たいてい思った通りにはいかないものです。無駄だと思えるその備えこそが、むしろ行動を続けるために役立つのです。

技法09 やる気のリスクヘッジ

まとめ

本章のポイントをまとめておきましょう。

まず大切なのは頭の中だけで考えないことです。書くことを通して、つまり記録を残すことを通して考えることで、自分の思考領域をより広く使えるようになります。また書き留めた記録は、その後にも利用可能になります。計画の修正も、再検討も、リスタートも、記録というデータがあってこそです。

こうした使い方が、ノートの基本的な使い方となります。頭を整理すること、書き出すこと、思い出させること、思い出すこと、見返すこと、そのためにノートという道具を使うこと。これがノーティングのコアであり、ノーティストの基本姿勢です。

これを別の言い方にすれば、「少しだけ冷静になること」です。冷静になるとは、脳の二つのシステムの新しい方の回路をより強く発揮させることであり、意志力や理性と呼べる力を強めることを意味します。瞬間的な判断は直感的であり、脳の古い方の回路が強く発揮されてしまっているので、それを抑えるわけです。日常的な行動は習慣的であり、古い方の回路だけでも問題はないでしょうが、何か新しいことをはじめる場合は、それだけではバランスが欠けています。だからこそ、新しい回路の力を強く発揮させるのです。

そのために、ノートを書く時間を作り、ノートという考える場所、思考力を発揮させる場所を持ちましょう。たったこれだけのことであっても、人間の思考力は強化されます。あるいは、思考する回路がより強く働くようになると言えばよいでしょうか。考えるための場所を作り、その場所で「考える」を行うこと。その記録を残していくこと。それがリマインダーや「ぼうけんのしょ」となって、頭とやる気をうまく使う方法を提供してくれます。そして、失敗や挫折があっても、それを乗り越え、経験として活かすための術を手にすることができます。それがノート（記録）の力であり、人類がこれまでの歴史を通して行ってきたことでもあります。ノートを使うことで、同じことを個人レベルにおいても発揮させられるのです。

さて、以上のように準備が整えば、後は実行していく段階に移りますが、実行中にも計画の修正が必要だったように、実行段階も一筋縄ではいきません。もちろん、そこでもノ

No.

Date

ートは活躍してくれます。

No.

Date

第3章

進めるために書く

管理のノート

No.

Date

〝自分がコントロールできる事柄がある
場合は、それに基づいて必要な判断を
下すのが、賢明な生き方だ〟

——『初秋』
（ロバート・B・パーカー）

〝自分というものは、時間がたてば
他人とおなじだ、ということを
わすれてはならない〟

——『知的生産の技術』
（梅棹忠夫）

準備の次の実行

準備が終わったら、次は実行のフェーズです。このフェーズでもノートは役立ちます。たとえば、これからやることをリストアップし、それを見ながら作業を進めていくこと。あるいは必須項目を並べたチェックリストを作成し、それを参照しながら確認を進めていくこと。どれも目新しい行為ではないでしょう。しかしながら、これほどシンプルなものであっても、ここでは「管理」が行われています。そして記録が使用されています。この点は注目に値します。

実行には管理がついてまわり、管理は記録を用いて行われます。ではなぜ実行には管理がついてまわるのでしょうか。これは大切なポイントなので、詳しく確認しておきましょう。

まず、管理が必要ない行動はたしかにあります。本能的な行動や習慣的な行動がそれです。そうしたものは「やる」という決意がなくても行為が生まれるという意味で、意識外の活動だと言えます。逆に言えば、そうした活動だけでは足りないとき、あるいはそうした活動を変えたいとき、意識的な行為が必要となり、それが管理を要請します。たとえば、「やりたいこと」や「やらなければいけないこと」は、そのように認識されている時点で本能的なものや習慣的なものでないことがわかるでしょう。それを達成するためには管理が欠かせません。なぜでしょうか。

先に言葉の意味を整理しておきましょう。「実行」は計画に対して実際にとる行為・行動を指します。つまり「実行する」というとき、その背後には計画があります。もちろん、本能的・習慣的なものに対して計画は立てないでしょうから、実行されるものは常に非本能的・習慣的なものとなります。

次に「行為」と「行動」ですが、本書では、ある一回の、あるいは瞬間的なアクションを「行為」と呼びます。対して「行動」は、時間的に幅のある、あるいは継続性のあるアクションを指します。この行為と行動の違いに注目してください。

「行為」は、極めて単純に言えば、「やる」か「やらないか」の二つの状態しかありません。ある結果に向けて50％だけ進めることはできても、「50％やる」という中途半端な状態はありません。「やる」か「やらないか」。二項対立の、しかもシンプルな捉え方です。複雑なダンスはどこにもありません。

そのようなシンプルな世界認識であれば、管理の必要性などほとんど感じられないでしょう。被管理者はただやりさえすればよく、管理者（マネージャー）の仕事もただやらせるだけのものに堕します。日本におけるマネジメントが「上司が威張って命令すること」だと理解されているのも、そうしたシンプルな世界認識に基づいているのでしょう。もちろん、その認識はまったくの誤解です。

なぜならば、「行動」は継続性がポイントだからです。そこには線が、いや矢印があるのです。行為の継続を、一つの望ましい状態に置くこと。そのために必要な営みが管理です。

なぜそこで「管理」が必要になるのかは前章からの議論を引き継げば容易に理解できるでしょう。私たちの日常において、習慣的なものの力があまりにも強く、意識的なものの力はたいへん弱いからです。一度だけの行為ならば、意志の力で為せるかもしれません。しかし、そこに継続性を帯びさせるには、意志の力だけでは足りません。だからこそ、管理を行うのです。習慣的なものの力を超えて、行動を継続させること。あるいはそのために必要なもろもろの手続きやシステムの構築。それが「管理」です。

よって、管理することそれ自体は目的になりえません。あくまで、実行を促すための補助にとどまります。言い換えれば、管理と実行はセットになってはじめて意味を持ちます。

実行――つまり計画に基づく行動――を促すために管理は要請され、その管理はつねに実行に視線を向けていなければなりません。この関係は国家と国民に近いと言えるでしょう。国民のいない国家は国家にあらず、国家なき国民は国民にあらず、ということです。

だからもし管理が行動を阻害しているならば、それは管理が失敗していることを意味します。たとえば上司が怒鳴り散らして部下の意欲を殺いでいるとしたら、その部下が「できない」社員なのではなく、その上司が管理の「できない」マネージャーなのです。

後々出てきますが、この上司と部下の関係は、自分自身が行う管理においても顔を出します。つまり、「管理あるある」話なのです。

タスク管理の心技体

では、行動とその管理に必要なものとは何でしょうか。そうしたことについて考えるのが「タスク管理」という分野です。拙著『「やること地獄」を終わらせるタスク管理「超」入門』でも詳しく紹介しましたが、人間行動学とも呼べるこうした分野の知見はさまざまに集まりつつあります。おそらく「親の仕事で自分の一生が決まる」「言われたことをただこなすだけの仕事でいい」という環境から、個人の自由が認められつつある時代の中で、その自由をいかに使っていけばいいのかに関心が集まっているのでしょう。農耕時代には土地の有効な活用に、工業時代には素材と機械の有効な活用に関心が集まっていましたが、現代はそのまなざしが「個人の時間」に向いているのです。非常に現代的な課題であり、まだ十分な答えが出ていない問題でもあります。

とは言え、すでに揃っている知見からある程度のことは言えます。簡単にまとめれば、行動に必要なものは心・技・体の三つです。心は「やる気・モチベーション」、技は「技能・技術」、体は「体力・肉体」を意味します。

まず、やる気がなければ何も起こりません。特に管理が必要なのは非習慣的な行動であり、「その行動に取りかかる気持ちになる」ことは必須だと言えます。しかし、やる気があっても、それを可能にする技術や技能がなければ実行には移せません。どれだけやる気に溢れていても、生身で空を飛ぶことは叶いませんし、一度のオリンピックで金メダルを取れるのは一競技につき一人だけです。つまり、やる気があっても達成不可能なことはあります。さらに、やる気と技術があっても、それをなすだけの体力がなければ行為はおぼつかないでしょう。睡眠時間はゼロにはできませんし、動き続けることにも限界があります。

どれだけ鍛えても人間的・生物的な限界があるわけです。

管理を行う上で、最低限目配りしたいのはこの三要素（心技体）です。このうちどれが欠けても実行はうまくいきません。しかし、管理という行為が意識的・理性的なものであるがゆえに、心技体の「心」だけが注目されてしまい、それ以外の要素があたかも「心」に従属するかのように扱われることがあります。「やろうとすればできる」という根性論です。もちろん、気持ちだけがあっても技術がついてこなければ無理なものは無理ですし、肉体の限界を根性で乗り越えられるのは少年漫画の中だけの話です。もちろん、一度だけの行為なら単にやればいいいだけでしょうが、そこに継続性を付与するならば、心技体の三つのバランスに目を向ける必要があります。

その点を念頭におきつつ、タスク管理の知見からノーティングの技法を取り出してみましょう。

心に注目したＧＴＤ

タスク管理の中でも一時期大きな関心を集めていた手法に「ＧＴＤ」があります。アメリカの生産性向上コンサルタントであるデビッド・アレンが提唱したこのＧＴＤ（Getting

Things Done の頭文字をとった略称）は、2010年頃に発生したライフハックブームの中心的存在だったと言っても過言ではありません。人生に工夫と改善を求める人の注目を一気に集めたこのノウハウには、たくさんのヒントが詰まっています。

まず、先ほどの三要素でいえば、GTDは「心」に注目したノウハウと言えます。頭の中に「気になること」が溜まっているとパフォーマンスを最大限発揮できないので、頭の中から「気になること」をすべて追い出し、「信頼できる」システムに預けておくことで、目の前の仕事や作業に集中できるようになります、だからそのための環境を作り上げましょう——これがGTDの中心的なコンセプトです。「気になること」が頭から消え去り、十分な集中が行える状態は「水のような心」と呼ばれます。まさに「心」に注目しているのです。

たとえるなら、机の上にいっぱいものが散らかっていると気になって集中できず、大きな紙を広げて作業することもできないので、まずその机（頭の中）の散らかりを片づけるのがGTDが目指すところです。

これは非常にもっともな話であり前章で書いた話とも重なります。たとえば、夕方に憂鬱な会議が待っているときは午前中はうまく集中できないかもしれません。未経験の仕事を割り当てられてテンパっていると、普段やり慣れた作業ですらミスが起こってしまいます。結局のところ、人間には心がありその状態が行為や行動に強い影響を与えます。それが機械やAIとの大きな違いです。嫌いな上司の命令には嫌々従うでしょうし（低パフォーマンス）、可愛い後輩の頼みには全力で応えるでしょう（高パフォーマンス）。そうした反応が適切かどうかはさておき、心の状態が無意識に行動に影響を与えるのが人間存在です。

コラム　投資が奪う集中力

二十代の頃、私は絶対に会社員にはならないぞという強い決意と共に生きていたので株式投資に夢中になっていました。自分の腕で稼げるからです。その成績自体は悪くはなかったのですが、日本の相場が動いている時間帯は、株価が気になって仕方がありません。ついつい値段の動向を確認してしまいます。当然のように文章を書こうとしてもぜんぜん集中できません。結局、執筆業に取り組むようになってからは株式投資からは足を洗いました。でないと仕事がまったく進まないからです。とは言え、今はTwitterがその代わりになってしまっていますが。

そうした人間性を加味した上で、GTDでは管理において重要な要素を「見通しとコントロール」だと指摘しました。もう少し詳しく書けば、「将来への見通しと状況のコントロール」です。この二つが、継続的な行為、つまり行動の管理に大きな役割を持っています。かなり遠回りしましたが、ノートが役立つのもこの点においてです。

未来の見通しを得る

さて、「未来の見通し」はどのように得られるでしょうか。もちろん、この「見通し」は正確な未来予測ではありません。そんなものは得られないのが現実的な制約です。ここで言う「見通し」とは、視点や視座、英語で言えばパースペクティブと呼べるものです。現在地点があり、目標地点があり、その間にどんなステップがありうるのか、というイメージのことです。そうしたイメージが確立できている状態が「見通しがある」状態です。一方で、見通しがない状況とは、濃い霧(きり)に包まれていて、数歩先よりも向こうがまったく見えない状態を指します。当然、そのような状況で自信満々に歩みを進めていくことはできないでしょう。むしろ不安がつのり、歩みが止まってしまうかもしれません。つまり、「心」の状態が行動に影響を与えるのです。

この「見通し」は、全体像の俯瞰と言ってよいでしょうし、おおまかな枠組みや、行動のための地図という言い方もできます。計画を立てることの意味もここにあります。どのような行動が必要なのかを明らかにすることは、行動の全体像を明らかにすることとイコールです。つまり、計画を立てることは、見通しを得ることでもあります。

とは言え、限りある私たちの脳では描ける全体像は限られています。そこで役立つのがノートでありリストです。ノートに行動のリストを書き出すことで、始めと終わりが定まり、個々のステップが明らかになります。つまり、全体像が決定します。仮にその個々のステップが、具体的な行為にまで落とし込まれていたら、そのリストは「タスクリスト」と呼ばれます。私たちの行動を強力にサポートしてくれるツールです。そうしたリストを作ることで、私たちの不安は一気に減少し、取るべき行為に意識を集中させられるようになります。

ですから、何か行動を取るときは、特に新しいことや不慣れなことを行おうとするときは、まずこのタスクリストを書き出します。自分がこれから取り組もうとしていることの全体像を事前に明らかにするのです。とは言え、もう一度書いておきますが、これは正確な未来予測を行うための行為ではありません（そもそもそんなことは不可能です）。書き出したリストが完全でなくても、完璧でなくてもいいのです。あくまで、その時点での全体像を確定し、見通しを得ることで、行動を促すことが最大の目的です。

技法10 タスクリストで見通しを得る

状況のコントロール感

では「状況のコントロール」はどうでしょうか。状況をコントロールできているかどうかは、自らの意志によって状況に影響を与えることができ、結果を変えうる可能性があるかどうかで決まります。私が右の方向に進もうと思ったときに、右の方向に向かって僅かでも変化を起こせるなら、状況をコントロールできていると言えます。しかし、そう思ったところで何も変化させられないなら、状況はコントロールできているとは言えません。別の言い方をすれば、自分の意志が結果に影響を与えられるかどうかが、コントロールに関わってきます。

もし、自分がどのような意志を持っても状況が何一つ変わらないならば、何かしらの意志を持ち続けるのは難しいでしょう。「やる気」が湧いてこないわけです。つまり、何をやっても何も変わらないと思えるときは、行動を起こしにくくなるのです。だからこそ、GTDではコントロールを重視しています。

とは言え、この「コントロール」は扱いが厄介な言葉です。自由意志といったややこしい概念とも関わってきます。ある種の考え方によっては、人間は自由意志を持っているかのように感じているが、実はそれはただの幻想であり、私たちは何も意識的には選んでいないのだという観点もあります。もし、その考え方が正しいのならば、私たちは何もコントロールすることができません。管理はゲームオーバーを迎えます。

しかしながら、ここでそんな哲学的な議論に深入りする必要はありません。たった一つの漢字、すなわち「感」をつければ問題は解決します。真の意味で状況がコントロールできているかどうかは別にして、状況に対して「コントロール感」を持てているならば、人のやる気は維持されます。たとえば、ゲーム世界の中でお金を稼いでも、現実に何かしらの影響を与えられるわけではありません。しかし、ゲーム上の数字はたしかに変わります。それだけでコントロール感を得られるのです。これがコントロール感が重要だということであり、人間の心に注目している理由なのです。あくまで「感覚」の話であって、その有無が重要なのです。

そのようなコントロール感は、まさにゲームではたやすく得られます。数値が示されているからです。しかし、この世界にそうした数値はありません。何か作業を終えたときに「進捗（しんちょく）率30％」とウィンドウに表示されることはなく、自分の経験値が数字的に増えていくのを見ることもできません。つまり、リアルに生きているとコントロール感は得られにくいのです。特に、具体的なものを作り出さない作業や、結果が出るまでに時間がかかる行動ほど、コントロール感は得にくくなります。

リストは、この点でも貢献してくれます。リストを作り、全体像とそのステップを明らかにした後、実際に行動を進めていくと、「ここまでは終わっていて、あとこれだけ残っている」という状況が可視化されます。一つ自分が行動をするたびに項目が一つチェック済みになり、進んでいることが、つまり自分が状況に関与できている感覚が生まれます。その感覚が、行為を継続する上で役立ってくれるのです。

技法11 タスクリストでコントロール感を得る

進捗感を得る

そうした「進んでいる感覚」を、本書では「進捗感」と呼びます。一回限りの行為ではなく、継続的な行動をサポートしてくれるのはその「進捗感」です。そしてその進捗感は、まさにノートによって強力に喚起されます。先ほど紹介したリストだけでなく、さまざまなフォーマット（記法）が援助してくれます。

たとえばその一つに、ハビットトラッカーがあります。ハビットトラッカーとは、名前の通り「習慣」の「記録」を管理するためのツールです。リストではなく、簡単な表組みがよく使われます。習慣にしたい行為を縦の列に、日付を横の列に書けば準備は万全です。それぞれの日において、習慣がうまく達成できたと思うならば丸を、そこそこできたなら三角を、ほとんどできなければバツを、といったマークづけを行います。マークづけは五段階の点数評価などでもよいでしょう。

この方法で記録をつけていくと、自分が一日ごとにしかるべき活動に取り組んでいたという記録が残ります。一日限りではなく、継続的な行動であることが視覚的な情報として示されるのです。

ちなみにこのハビットトラッカーは、前章で登場したベンジャミン・フランクリンが用いた方法がベースになっています。彼が立派なノーティストであることを示す事実です。

技法12
ハビットトラッカーで進捗感を得る

表組み以外でも、地図（マップ）やグラフなど、さまざまな技法を使って記録を残していけます。どの技法であっても、「一度だけ行われる行為」を束ねて可視化してくれる効果を持ちます。それが進捗感をもたらすのです。そしてまた、そうした記録を残すノートの存在自体が物リマインダーとなり、「行為をしたら記録を残

	1	2	3	4	5	6	7	8	9	10	11
早起き	○	×	○	○	×	○	×	○			
体操	○	△	△	×	×	○	×	×			
挨拶	○	△	△	○	○	△	△	△			
英単語	×	×	×	○	○	×	×	○			
読書	○	○	○	○	○	×	○	○			
日記	○	○	○	○	○	×	○	○			
筋トレ	○	×	×	×	×	×	×	×			
早寝	○	○	○	×	○	×	○	○			

す」というアクションを思い出させてくれることは前章でも確認しました。はじめることだけでなく、進めることもセットになってノートは効果を発揮してくれます。

ログの種類に気をつける

リストやハビットトラッカーは、行為の記録を残していくという意味で「ログを取る」行為だとも言えるでしょう。その際に重要になるのは、どんな単位を設定するかです。

たとえば執筆作業で考えてみましょう。私はいま第3章の原稿を書いていますが、それを「全体像」に位置づけると以下のようなリストができるでしょう。

本書の執筆
- 第1章の執筆
- 第2章の執筆
- 第3章の執筆
- 第4章の執筆
- 第5章の執筆

No.

Date

●第6章の執筆

こうしたリストを作れば、上から一つずつ項目を消していくことで進捗感が得られます。しかし、1章分の原稿を書き上げるのは早くても二週間、手間取れば一ヶ月以上になることも珍しくありません。そうしたとき、上記のリストではいっこうに進捗感が生まれません。なにせまったくチェックが発生しないからです。だったらとリストを細分化して、以下のようにすればどうでしょうか。

第3章の執筆
- 3－1の執筆
- 3－2の執筆
- 3－3の執筆
- 3－4の執筆

先ほどのリストに比べると粒度が細かくなったので、項目にチェックが入る間隔が縮まり、進捗感が生まれる可能性は高まりました。ただし、「順調に執筆が進んでいたら」という条件がつきます。日によっては、数時間パソコンに向き合っていても、まったく文字数が増えないどころか気に入らないからと消してしまい、文字数が減ってしまうことすらあります。マイナスの進捗です。当然その間は、上のリストも進みません。

こうした作業の場合は、完了に向かっていくタイプのリストではなく、むしろ一日の執筆時間の合計をログとして残していくタイプがよいでしょう。一日二時間作業したら「二時間作業した」と記録し、一時間半作業したら「一時間半作業した」と記録を残すのです。そのような記録の仕方をすれば、毎日少しずつ記録に変化が生まれます。そのことによって、自分の行為が何かしらの影響を与えていると感じられる――つまりコントロール感が得られるのです。

上記のように、管理したい行動の種類によって機能する記録の残し方は変わってきます。こうすればうまくいくという一律なやり方はありませんので、適宜判断していきましょう。大切なのは、自分の行動によって進捗感が生まれるよう記録をデザインしていくことです。

技法13 ログをデザインして進捗感を生む

フィードバックを生みだす装置

ここまでの話を俯瞰的に振り返ってみると、コントロール感や進捗感は、総じて「フィードバック」の産物だと言えます。フィードバックとは、難しく言えば「ある機構で、結果を原因側に戻すことで原因側を調節すること」であり、日常生活なら他者からのアドバイスや注意がフィードバックに当たりますが、それだけではありません。たとえば、何かを実行して結果をノートに記録すると、その記録が目に入り、行動を続けるためのモチベーションが高まる、といった一連の流れもフィードバックが起きていると捉えられます。そのとき、「機構」にあたるのは、「私」という一つのシステムです。

その意味で、ノート上に作成するリストや表組みは、フィードバック発生装置と言えます。「私」というシステムを調整するための装置なのです。ノートという装置は、現実世界ではあまり発生しない、特に一人で作業する場合は発生しづらいタイプのフィードバックを生み出してくれるのです。

ではなぜノートがフィードバックを発生させるのでしょうか。それは、記録が記憶ではないから、つまり脳内ではなくその外側（外部）に位置しているからです。

フィードバックには、それを送るものと受け取るものの二者が必要になります。同様に、管理であっても管理するものとされるものの二者が必要です。単一の存在ではフィードバックも発生しなければ、管理もなしえません。記録をつければ、自分（今その瞬間の自分）以外の自分が生まれます。言い換えれば、他者が生まれるのです。そのように自分を二分することによって、フィードバックや管理が可能となります。逆に言えば、記録を一切とらずに管理をすることはほぼ不可能です。管理が目指すべき状態が記憶と共に失われてしまい、どう管理していけばいいのか、何を管理すべきなのか、そもそもなぜ管理しようとしていたのかが喪失するからです。管理あるところに、記録（ノート）あり。そんな風に言えるかもしれません。

なんにせよ、自分が管理したいと思っている対象についてはノートを取るようにしましょう。そしてフィードバックを発生させ、「私」というシステムを調整していきましょう。

技法14 ノートをフィードバック発生装置として使う

ロギング仕事術

フィードバックをさらに意識すると、記録を取りつつ作業を進めてみてはどうかというアイデアが出てきます。そのような作業の進め方をロギング仕事術と呼ぶことにしましょう。行動と行動の合間に、あるいはそのさなかに記録を取ること、記録と共に作業を進めていくこと。それがロギング仕事術です。

といっても、奇抜な方法ではありません。一つ作業を終えるたびに、そこで何をしたのか、どんなことが起きたのか、どうしようと思ったのかなどを書き留めるだけです。タスクリストを使っている場合は、作業が終わったら項目にチェック（という記録）をつけますが、それに加えて作業中に発生したさまざまなこと（起きたこと、考えたこと）を記録していくのがロギング仕事術の特徴です。

このロギング仕事術を実践すると超短期のフィードバックが得られるようになりますが、その感触はラバーダック効果と似ています。ラバーダック効果とは、あひるの人形に自分がやっていることを説明しながら作業を進めるようにすると、頭の中が整理され状況の理解が深まる現象のことです。一見馬鹿馬鹿しいように思えますが、これが存外に効果を持っています。頭の中だけで考えていたときには漠然としていたものが、誰かに話しかけることによって、つまり頭の中から外に出すことによって整理されていくのです。さらに全体の見通しが生まれるようにもなります。

作業しながら記録も残すように進めていくと、同じような効果が期待できます。漠然と作業を終わらせるのではなく、「今日はこんなことをして、ここまでやった」と記述することで区切りの感覚も生まれ、次に何をすべきなのかもはっきりしてきます。

その効果をより発揮させるためには、ラバーダックと同様に「誰かに向かって話しかける」ことが大切です。文章で言えば、他の人が読んでも分かるように書くのです。自分用のメモではなく、それを読んでいる誰かがいて、その誰かに説明するかのように文章を書いていけば、おのずと頭の中の整理も進みます。さらに、そうして文章を書いておけば、時間が経った後に自分で読み返しても十分に意味が取れるようにもなります。自分が昔書いた文章を読み返して、その意味がさっぱりだった、という経験は多くの人がお持ちでしょう。時間が経つと記憶が変質し、ある意味で「別の人」になってしまうから起こる現象です。他の人に説明するかのように作業記録を書いていくと、そうした喪失を防ぐことができます。

技法15 ロギング仕事術

実行と後始末の重なり

以上のような作業記録を、進めながらではなく一日の最後にまとめて書けば、「日記」や「日報」と呼ばれるものと等しくなります。言い換えれば、一日の最後にまとめて書くものを日中分割して書き進めていくのがロギング仕事術です。つまりこれは実行フェーズの後に待っている「後始末」でもあるのです。

たとえば、作業を終えた後に記録を書いていたら、確認し忘れたことがあったと気がついたとしましょう。そうしたら、その時点で確認項目をリストアップし、チェックのためのリストを作ることができます。そのリストを参照すれば、次回以降、同じようなミスを回避できます。同様に、記録を書きながら「これは来週に思い出せたらいいな」と思うことがあれば、その内容をリマインダーにセットすればいいのです。それで来週の自分に引き継ぐことができます。

作業後に行うこうした小さな行為たちが、次なる実行に役立ってくれます。それが作業の「後始末」です。

前章でも書きましたが、準備と実行には重なる部分があります。同様に、実行と後始末にも重なる部分があります。つまり、実行を中心として準備と後始末は重なっているのです。むしろ、これらを分離して捉えてしまうと、全体がうまくいかなくなります。準備と実行を重ね、実行と後始末を重ねることでフィードバックが次なる実行（計画＋行動）に反映される。そんな風に流れを整えるのが大切であり、ノートはその要石として機能してくれます。

それだけではありません。作業記録に書き残したさまざまなことは、新しいアイデアを生み出すのにも役立ってくれます。しかし、そのことについての詳しい説明は次章に譲りましょう。

管理で起こる弊害（へいがい）

では、リストを作れば万事解決と言えるのでしょうか。もちろん、そんな単純な話ではありません。

たとえば、やることを管理するためのリストを作ったとしましょう。そこにやることを書き並べていき、一つ終えたらチェックして、新しいやることが発生したら書き足していく。そのような運用です。一見このやり方はうまくいくように思えますが、次の場合はどうでしょう。一つやることを終えてリストを見てみたら、新しいやることが二つ増えていた。頑張ってその二つをやり終えたら、今度はやることが五つ増えていた。なかなか辛い状況です。進めているつもりなのに、進んでいる気がぜんぜんしません。つまり進捗感もなく、コントロール感もありません。そういった状態が続けば、リストの「在庫」はどんどん長くなっていき、百や二百に至るでしょう。そんな長大なリストができたとして、そのうちのたった一つだけの項目を終えたら「何かが進んだ」という感触を抱けるでしょうか。おそらく強い虚しさが待っているでしょう。

状況を管理するためにリストを作っても、上記のような状態になってしまっては、コントロール感も失われ、リストが長くなりすぎたことによって見通しも立たなくなります。つまり「心」をサポートする効果がなくなるのです。こうなると、自分で管理している感触は消え去り、むしろ管理させられている感覚が強まります。コントロール感の欠如(けつじょ)がもたらすよくある心的状況です。

こうした状態は、アナログツールよりもデジタルツールの方が起きやすい点には注意が必要でしょう。たとえば、デジタルツールでは気楽に新しい項目をつけ足せます。さらに、アナログツールと違って「紙面」という制約がないので、いくらでもリストを長くできます。アナログツールであれば、一ページ以上は書き込めませんし、結果その量は「一覧」できる分にとどまります。つまり、見通しがつきやすいのです。しかし、デジタルツールであれば何ページ分もスクロールが必要なリストが作成できるので、結果として「一覧」は不可能になり、見通しは霧深くに隠されてしまいます。

さらに簡単に作れるからとリストそのものを大量に作ってしまうと、どんなリストがどこにあるのかという、一段上の（メタな）見通しも失われてしまいます。これでは心はうまく機能しません。

とは言え、デジタルツールを使うのは止めましょう、という提言ではあまりにも単純すぎますし、未来もありません。ポイントは、見通しを確保し、コントロール感を得られるような運用を心がけることです。たとえば、その一つに「リストを閉じておく」という考え方があります。

リストを閉じる意味

ごく普通のリストは、作成した後も自由に項目がつけ足せます。たとえば、買い物リストを作った後に、追加で買い物を頼まれたら、その品目をリストに追加できます。デジタルツールなら、そうした追加はさらに容易(たやす)いものです。

そうして安易に追加していけばいくほど、リストは膨れ上がり、コントロール感が失われます。そして、現代ではそうした「やること」が増えやすい状況でもあります。

そこで、リストを閉じてしまうのです。一度作成したリストを、一通り行動を終えるまでは新規項目を追加しないと決めるのです。それがクローズドリストです。

たとえば、「今日一日でやること」を書き並べたリストを書いたとします。それを朝一に書き上げたら、以降はよほどのことがない限り、そこに項目をつけ足さないのです。もし、何か新しいやることが発生したら、それが喫緊のものでない限りは「保留」にしておきます。保留とは、今日中にリストの項目をすべて達成した後に時間があれば取りかかる、ないしは明日以降に持ち越すという判断のことです。安易に追加するのではなく、保留をうまく使えば、「今日一日でやること」のリストには明確な「おわり」が生まれ、そこに向かって進んでいけるようになります。見通しとコントロール感が発生するのです。

もちろん、このやり方をしても、「やること」の全体が減るわけではありません。単に、区切り（あるいは仕切り）を入れているだけです。しかし、今問題にしているのは「心」でした。つまり、感覚です。そうした区切りを入れることで、広すぎて全体像が摑めない対象が小さく分割され、感覚としてそこに全体像が生まれてきます。その感覚が行動のためには大切なのです。

このような区切りを発生させる操作を「有限化」（ないしは分節化）と呼びます。もともと人間の認知からすると無限に近い（つまり一覧の限界を超えている）情報を扱えてしまうデジタルツールにおいては、有限化を意識して運用するのは重要なポイントです。

技法16 リストを閉じて有限化する

コラム リストという有限化

そもそもとして、リスト作りが有限化の技法だと言えます。この世界にある（あるいは頭の中にさまざまにうごめく）万物を記述するのではなく、その一部を特定の条件に応じて切り出すこと。それがリストの役割です。にもかかわらず、後からバンバン項目を追加してしまえば有限化の効能は薄れてしまいます。もちろん、行動に関与しないリストであれば項目が増えていっても構いませんし、むしろ増やしていく行為は楽しいと言えるでしょう。しかし、こと行動に関するものは別です。そこには有限化が切実に必要となります。私たちの存在（肉体）が有限だからです。

管理しすぎてはいけない

リストを増やしすぎるのと同じように、管理のためのルールも増えすぎるとやっかいなことになります。今の自分が覚えていないルールに従うことは、それだけでコントロール感を損ないますが、それ以上にルール全体の「見通し」が失われてしまうのです。

人間は、管理をスタートさせた段階では「やる気」に満ちあふれているので、あれやこれやとルールを作りがちですが、一週間も経てばそうしたルールを完全に失念してしまい、どう管理していいのかわからなくなってしまいます。そこで、やはりノートです。自分が自分にどのようなルールを課そうとしているのかを書き出すのです。そうしておけば、ルールを忘れてもいつでも思い出せます。加えて、自分がどれほどの数のルールを自分に課そうとしているのかも可視化できます。無茶なことをやろうとしているのがわかるのです。

また、自分が設定した管理の方法（ルール）が、状況にあわなくなったときも、書き出したルールを書き換えることでルールを上書きしていけます。これが記憶頼みだと、それまで長く使い続けていたルールが習慣になりそちらに引きずられてしまうのですが、書き出したものを書き換えることで習慣から脱出する手がかりが作れます。つまり、メタ・管理においてもコントロール感を維持するためにノートは有用なのです。

この点は、「ノート法」そのものが持つ問題とも関わっています。たとえば、私が何か効率的なノートの使い方を開発したとして、「さあ、この通りにやりましょう」と提示したとします。素晴らしいノウハウの伝達です。話を聴く人も、自分で考える必要がなく、その通りにやればいいのですから楽でしょう。一方で、そうしたノウハウを実践することに関するコントロール感はどうでしょうか。言ってみれば、他の人の方法に無理に従わなければならないわけで、そのルールを一字一句守ろうとするならば、不都合を感じても変えることはできません。つまり、ノウハウに対するコントロール感はまったくないのです。この点が、他人のノウハウを行為として実践するのは簡単でも、行動として継続していくのは難しい現実に関係しています。

よって、やや厳しい言い方をすれば、継続していくためには他の人の方法ではなく、「自分の方法」を確立することが欠かせません。それも、確かな方法を頭の中で組み立ててからスタートする感覚ではなく、他の人のノウハウを参考にしながら、それをアレンジしたり、改造したり、換骨奪胎したりして、自分で作っていく感覚を持つのです。方法自体のコントロール感。それが新しい方法（習慣にない方法）を続けていくためには必要です。

No.

Date

コラム　アナログノートというチュートリアル

デジタルノートを使う場合は有限化を意識する必要がありますが、アナログノートの場合、そもそもできることが限られているのではじめから有限化がなされていると言えます。複雑にしようがないのです。その意味で、難しいことを考えなくても済むというメリットがあると言えるでしょう。よくゲームの導入に「チュートリアル」が準備されていて、そこでは可能な行為が限定されているがゆえに一つひとつの操作に集中して練習できるようになっています。その意味で、アナログノートは「ノートのチュートリアル」と呼べるかもしれません。さらに、アナログノートは書けば書くほどページが進みますし、一冊書き終えたら物理的な移動が生じます。つまり、進捗感が得られやすいのです。アナログとデジタルのどちらが優れているかは断言できませんが、それでもまず手始めにアナログノートから取りかかってみるのはよい選択かもしれません。

まとめ

本章の内容を振り返っておきましょう。

意識的な行動を進めるために必要なものは心技体の三つであり、管理はそれらを扱っていきます。特に、心（やる気）については、フィードバックが重要で、それを生み出す装置としてノートが活躍します。全体像を「扱える」と思える程度に有限化し、行動した結果をそこに反映させていく。そうした行為の積み重ねが、行動を持続させ、目指す状態を維持することに役立ちます。

さらに、問題点や失敗などの書き留めも有効で、それが頭の整理に役立ったり、チェックリストやリマインダーを介して自分の行動を改善する役にも立ちます。よく口にされる「以後気をつけます」を、言葉だけでなく実際に行動に落とし込むことができるのです。頭の中だけで、これらすべてをやろうとするのは無理があるでしょう。

とは言え、いくらリストが便利だからといって、何もかもをそこに詰め込んで肥大化させるのは避けたいところです。有限化が破綻し、管理ができなくなってしまいます。対象やルールをむやみやたらに増やしすぎず、硬直的な運用を避けることが、ノートを続けていくためにメタな観点から大切な要素でもあります。

最後に一点つけ加えれば、どれだけ頑張っても私たちは「体」を持つ——物理的・生物的な存在である——制約からは逃れられません。心や技に注目するばかりに、体の存在を見失わないようにしましょう。作業のログを残しておけば、いかに自分が無茶な仕事をしているのかのフィードバックを得ることもできるようになります。

総じて言えば、前に進んでいくためにはフィードバックが重要であり、そのためには異なる二者が、つまりフィードバックを与える存在とフィードバックをもらう存在が必要となります。言い換えれば、「自分」ひとりだけではフィードバックは発生しません。その意味で、ノートは「もう一人の自分」を作ってくれます。自分であって自分でない存在、そんな「他者」を作り出すことができるのです。この特徴は、物事を考えていく上でも——堅苦(かたくる)しく言えば思索(しさく)を進めていく上でも——役立ちます。

No.

Date

第4章

考えるために書く

思考のノート

No.

Date

〝困難は分割せよ〟

——『方法序説』
（ルネ・デカルト）

〝数学者が二つの既知の構造の
同型対応を発見すれば、
それは喜びをもたらす。
それはしばしば「青天の霹靂」であり、
驚嘆の源となる〟

——『ゲーデル、エッシャー、バッハ』
（ダグラス・R・ホフスタッター）

No.

Date

思考にノートはどう役立つか

十八世紀、「三権分立」を提唱したフランスの哲学者モンテスキューは生涯にわたって、自分の思索をノートブックに綴っていたそうです。本を読んだ考察をまとめる読書ノートとは別に、歴史・地理・自然・文学・芸術・時事など、広範囲の関心事について自分の考えを書き留めていたそのノートは、彼の思想の屋台骨として機能していたことでしょう。

似たような話は枚挙にいとまがありません。思想家や哲学者、そして芸術家や文学者が日々の着想をノートに綴っていたエピソードはたくさん残されています。多くの人がノートに憧れを持つのも、そうしたエピソードに触発されてのことかもしれません。

さて、「考える」ことについてノートはどのように役立つのでしょうか。言い換えれば、どのようにノートを使えば、自らの「考え」を進めていけるのでしょうか。それを検討するために、まずは「考える」について考えてみましょう。

考えるについて考える

いきなりですが、「考える」とは何でしょうか。おそろしく難解で、根源的な疑問です。

高名な哲学者たちもこの疑問に取り組んできました。しかし、その疑問に答えられなくても、私たちは普段から「考える」を実践していますし、何なら「もっとよく考えろ」と他の人に言ったりもします。私たちにとって「考える」は、ひどく捉えがたくもありつつ、きわめて身近な行為でもあるわけです。

きっと皆さんも、「考えるとは何か?」と尋ねられて、思いつく答えがあるのではないでしょうか。もしあるなら、手近なノートやこの本の余白にでも書きつけてみてください。大丈夫です。本はSNSのタイムラインと違って目を離しても逃げたりはしません。読み進めようと思わない限り、ここで止まって姿を変えずに待っています。本を読むことは自律的な活動なのです。ですから、ぜひ落ち着いて、思いついた答えを書いてみてください。きっと後々役立ってくれるはずです。

よろしいでしょうか。では、次に進みましょう。

まず思い出してもらいたいのが、ここまで紹介してきたノートの使い方です。ややもやした頭の中を書き出して、それを整理すること。自分のとるべき行動を設定して、そのためのリストを作ること。こうした行為では、情報処理が発生しています。脳内で行われる情報処理です。その意味で、ノートはそうした情報処理を補助するための装置だと言えるでしょう。

そこで、そのような脳内の情報処理を「知的作用」と呼ぶことにします。ノートは情報に知的作用を及ぼすための装置である。まずはそう言えるでしょう。

私たちが「考える」と言うとき、そうした知的作用の全般を指すことが多いように思われます。頭の中で知的作用が生じているなら、その中身が何であれ、それは「考える」と呼ばれる。そういう具合です。たとえば、パソコンにはワープロソフトや表計算ソフトなどさまざまなソフトウェアが入っており、それぞれは異なる情報処理を行っているけれども、一括して「パソコンを使う」という言い方がされるのに似ているでしょう。脳内の情報処理の一般的表現が「考える」なのです。

その「考える」は、脳内で起きているがゆえに目には見えません。たとえ誰かが考えているときにその頭をパカっと開いても、何をどう考えているのかを見てとることはできないでしょう。同じように、他の人が腕を組んで考えている姿を見ても、何をどう考えているのかはわかりません。「考える」は目に見えないのです。

これは困った特徴です。なぜなら、私たちは何かを学ぶときに、「真似」から入るからです。幼児が言葉を覚える場合が典型例でしょう。彼ら・彼女らは、一から言語を創造するわけではなく、周りの人間が話している言葉を耳にし、それを真似することで自らの言語を獲得していきます。シンプルに言ってしまえば、そこでは「お手本」が必要なのです。

しかし、「考える」は目には見えません。目には見えないのだから、他人を模倣して学ぶこともできません。「考える」には、見様見まねが効かないのです。

よって、自分が何かを「考えて」いたとして、それがうまくできているのか、適切なのか、そもそも考えると呼びうるものなのかの判断はつきません。誰かが「考える」を苦手としていても、その中身が見えないので適切なフィードバックを与えるのも困難です。

人間にとって「考える」が身近な反面、いつまで経ってもそれが上達しなかったり、苦手意識を感じてしまうのはそうした理由があるのでしょう。さらに、他の人との比較ができない以上、「考える」とは何かに適切な答えを与えるのも難しくなります。そもそも適切な答えがあるのかすら判然としません。

そこで、本書では実践的な答えを見出すために、便宜的に二つの区分を用いて「考える」にアプローチしてみます。「思う」と「考える」を分けるのです。

思うと考える

人間は環境から入ってくる情報を常時処理しています。言い換えれば、人間は常日ごろから知的作用を生み出しています。その作用は、基本的に無意識で発動するものです。「よし、情報処理してやろう」と思い立って行うのではなく、情報が目に入ったら（あるいは耳に入ったら）、勝手に起動してしまうタイプのものです。ゲームであれば、パッシブスキルに相当するでしょう。

本書では、そのような無意識の情報処理を「思う」と呼ぶことにします。無意識に、無自覚に起きてしまう知的作用。それが「思う」です。感情・感覚・感想・発見・驚きといったさまざまなものがここに含まれます。

一方で、意識的に促せる知的作用もあります。つまり、環境から入ってきた情報に反応するのではなく、自分の意志によって知的作用を発生させる対象を選ぶわけです。たとえば、私の目の前にはロイヤルミルクティー（税込305円）がありますが、「この紅茶の原価っていくらだろうか？」と意識的に疑問を持つことができます。このように意識的に知的作用の対象を選ぶことを「考える」と呼びましょう。そして、この「思う」と「考える」の両者が含まれている行為を「思考」と呼ぶことにします。

まとめておきましょう。人間は無自覚に情報処理を行っておりそれが「思う」を発生させ、「考える」は意識的にその情報処理を促す、そして「思う」と「考える」の二つを含むのが「思考」という活動です。

この点を踏まえると、いかに「思考」という活動が重要なのかが見えてきます。

習慣的な思い

「思う」は、無自覚・無意識的なものだと言いました。それは衝動的、ないしは習慣的な性質を帯びます。別の言い方をすれば、人間の脳が持つ二つのモードの速い方を担当するのがこの「思う」です。一方、遅い方を担当するのが「考える」となります。

「速い」モードは、便利で使い勝手がよく、大部分において間違いを含みませんが、万全ではありません。先入観に影響されやすく、また長期的な価値の算出を見誤ります。とは言え、それが優れた性質を持っていることは間違いありません。いわゆる「直観」と呼ばれるものが代表例です。直観はパターン認知に基づく処理であり、経験に裏づけられた勘を直観と呼ぶ向きもあるくらいです。とりあえず、ここではそうした情報処理を直感的処理と呼ぶことにしましょう。

No.

Date

一方で「遅い」モードは、そのような直感的な答えをそのまま採用するのではなく、落ち着いてゆっくりと検討を進めていきます。まるで人と人が話し合いながら進めていくようなアプローチです。そうしたアプローチを対話型処理と呼ぶことにしましょう。

直観はパターン処理なので、こなす「現場」が増えれば増えるほど信用に足るものになります。将棋の初心者と名人の「直感的な一手」はまったく質が異なるでしょう。それまでに処理してきた場面の数が違うからです。言い換えれば、直観はそれまでの経験をパターン的に処理し、細かい論理ステップを省いて一気に答えを出すための仕組みだと言えます。

この素晴らしい力は、逆説的に「まったく新しい場面」には役立ちません。経験に裏づけられた直観が強力であることは、その裏返しとして経験を持ちえない新しい現象に対して無力であることを意味するからです。

にもかかわらず、直観は「黙って」くれたりはしません。脳は、常時情報を処理しているのでした。それも無意識にそれを行うのでした。直観がうまく機能しないような場面でも、ついつい「これはこうだ」と畑違いである過去の経験を活かして答えを出してくれます。そして、その直観には極めて強い説得力を「感じ」ます。日常的に直観が役立つ場面が多いからです。あの人は間違ったことを言わない、と老いた文化人がありがたがられているのに似ているでしょう。

だからこそ、思考には「考える」という行為が欠かせません。「思った」ものをそのまま扱うのではなく、「思った」ことに対して、新たなる情報処理を行っていき、直観の過ちを訂正していくのです。

別の言い方をしましょう。

日常生活の大半は繰り返しであり、それらは「思う」の情報処理だけで過不足なく進めることができます。しかし、「思う」だけでは十分ではなく、解決できない問題や解消できない不具合が生じることがあります。そうしたときに必要になるのが「考える」です。言い換えれば、変化を呼ぶものが「考える」であり、その知的作用が新しい動きを作り出していきます。

「思った」ことを処理する

たとえば、行動のノートについて振り返ってみましょう。前章で紹介した「やること」

を列挙するリストは、自分が「やること」だと思ったことを書き留めるのが第一の役割です。頭に浮かんだ「やること」を書きつけていくわけですから、当然そうなります。そして、リストに書き込みながら、あるいは書き込んだ後で「これは本当に今日やることだろうか、あるいは自分がやるべきことだろうか」と考えることになります。まず「思ったこと」を書きつけ、それに対して「考え」をぶつけていく。それがリスト作りで生じている知的作用です。その他のリストの使い方でも基本は変わりません。思いを書きつけ、それに対してさらなる情報処理を行うことによって、適切な形に持っていくこと。それがこれまでノートで行ってきた情報処理の全体であり、「思考」という行為の核になります。

そうすると、思考のステップにおいて一番最初に必要なことがわかります。それは「思い」を書き留めることです。なにせ、「思ったこと」に知的作用を与えてこそ、「思考」たりえます。その素材となる「思い」が失われてしまえば考えることもままなりません。しかし、「思い」はその性質上ひどく失われやすいものです。脳はふと思いついたことを長く記憶に留めておくような性質を持っていませんし、しかも「思い」は無自覚であり、無意識の発生なので「よし何か思いつこう」と意図して発生させることもありません。つまり「思い」は、（自分の意識から見ると）無作為に発生するのです。それについて考えようなどとは意図していないタイミングで、「思い」が出てくることがほとんどです。だからこそ、着想ノートが役立ちます。

ダ・ヴィンチのノートなどが有名ですが、いつでも持ち歩き、思いついたことを即座に書き留めるノートは、飛散しがちな自分の「思い」を留めておくのに役立ちます。そうして書き・留めた「思い」はそれ自身で役立つというよりも、後々の「考える」の材料として（あるいは対象として）役立つことが期待できます。今すぐ使うのではなく、「今はこれについてじっくり考えている時間がないので、また後にしよう」という一種の先送り（よく言えば未来へのパス）として機能するのです。

技法17 着想ノートに思いを書き留める

「思い」を洗い出すマップ

「思い」は無意識的に起こるので、必要になってから「さて、すべての思いを並べてみよう」と意図したところで、その通りにできるとは限りません。ＣＤやパソコンのように必要なデータを選んで取り出すことができないのです。そうしたとき、第2章で紹介したフリーライティングのような手法で自分の「思い」を洗い出す手もありますが、「考え」たいテーマが決まっているときは、ラジアル（ｒａｄｉａｌ）なマップを描くのも有効です。

ラジアルなマップでもっとも有名なのがマインドマップでしょう。皆さんも一度は見かけたことがあるかもしれません。中心から周囲に向けて放射状に広げていくノーティングの技法です。

しかし、「マインドマップ」と呼べるのは、開発者が定義した手法に正しく従うものだけであり、それ以外のよく似た手法はマインドマップとは呼べません。せいぜい「なんちゃってマインドマップ」くらいのものです。とは言え、ここでは手法の正確さは問題ではないので、特徴だけを捉えておきましょう。

ラジアルなマップの特徴は、その描き方にあります。一般的なノートは、上から下に、そして日本語であれば左から右に記述を進めていきます。しかし、ラジアルなマップは、中心から記述をはじめます。ノートの真ん中に考えたいことを書き入れ、そこから放射状に枝を伸ばし、思いついたことを次々に書き込んでいきます。

人間の「思い」は意識的にはコントロールできませんが、それが知覚に影響を受けることは間違いありません。つまり、何を「目に入れる」のかで、何を「思う」のかを疑似的に方向づけられます。このラジアルなマップは、その特性を最大限に活かすノーティングの技法です。なぜなら、人の「思い」は連想的に働き、一つの事柄に対して複数の要素を思い浮かべるからです。上下から左右に向かう一次方向の記述では、この多様な広がりをキャッチできません。一つの「思い」が複数の連想を呼び、それぞれの連想が、さらなる連想を呼び込んでいく。そのように、自らの「思い」を洗い出していくために、ラジアルなマップは使えます。

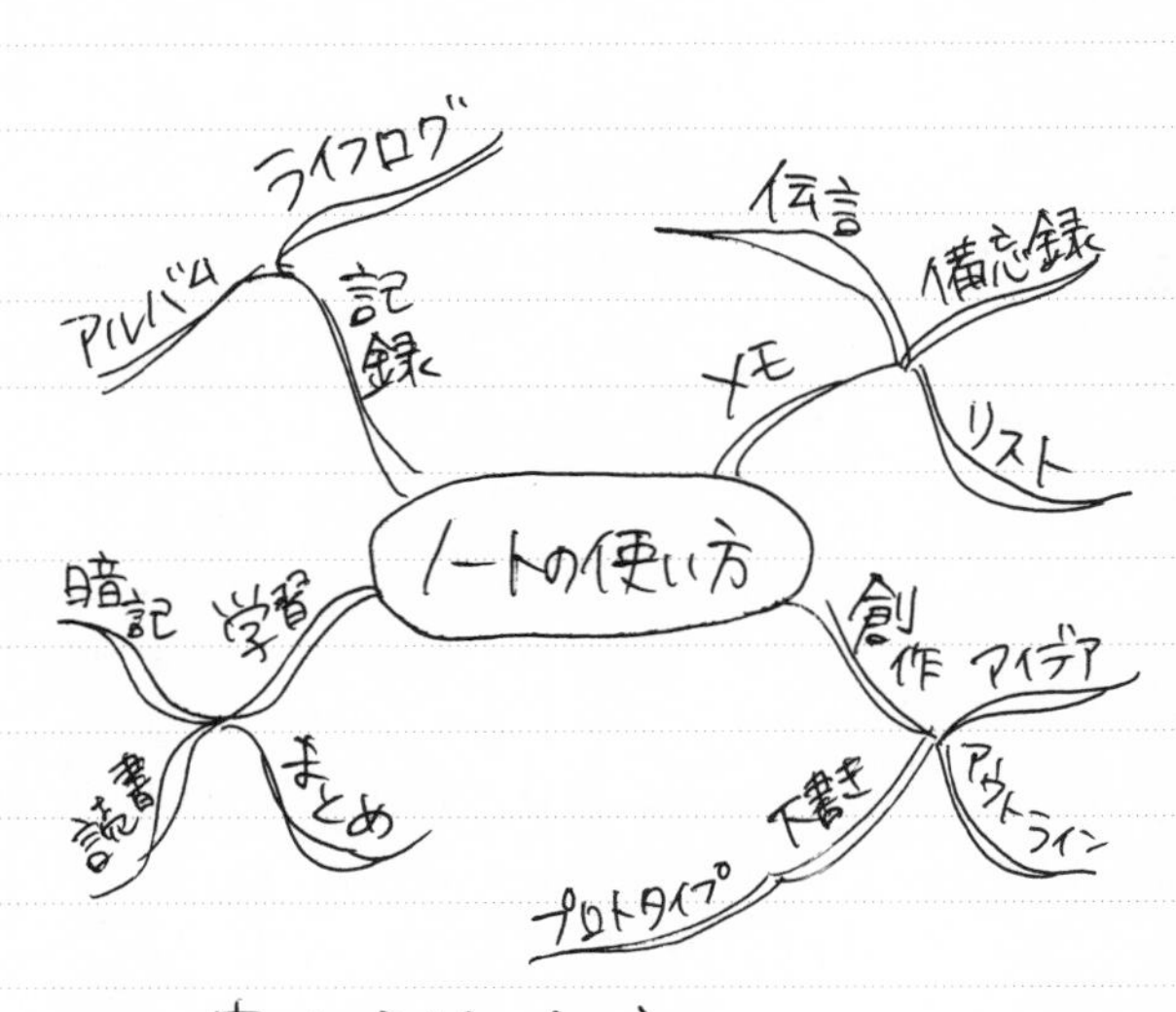

技法18 ラジアル・マップで連想を引き出す

「思い」を押し出すテーブル

無意識の「思い」を、意識的に発揮させる別の手法もあります。それがマンダラート（マンダラチャート）です。チャートは海図などの意味もありますが、図や表といった意味もあります。ここで含意されているのは「表」のことです。

具体的な手法としては、まず3×3マスの表を作り、その中心のマスに「考え」たい事柄を短く書き込みます。後は、ラジアル・マップと同じように連想したことをその周辺のマスに書き込んでいきます。もし周辺のマスに書き込んだことをさらに展開したい場合は、新しく表を作り、その中心のマスに展開させたい言葉を書き込みます。同じことを再帰的に繰り返していけば、いくらでも思考を展開していけます。

一見すると、あらかじめ表組みを作るマンダラートは、自由に枝を伸ばしていくラジアル・マップに比べれば制約が大きいように感じます。「発想を広げる」という点では、枠組みなどなくスペースを広く使える方がよいのではないかと思われるかもしれません。しかし、表という枠組みが制約として働きつつも、発想を促す点にこの手法の面白さがあります。

たとえば、テーマの周囲には8マスしかありませんが、8個くらいなら何かしら書ける気持ちが湧きやすいものです。言い換えれば、数が限られて提示されていることで見通しとコントロール感が生まれやすく、それが実行を補助してくれます。同様に、まだ埋めていないマスは、何かを埋めようという気持ちを促します。8マスのうち5マスが埋まっていたら、あと3個くらいは何かひねり出そうと動機づけられるでしょう。表組みにおいてマスの空白は、単なる無ではなく「これから何かが書かれる場所」という不在的情報

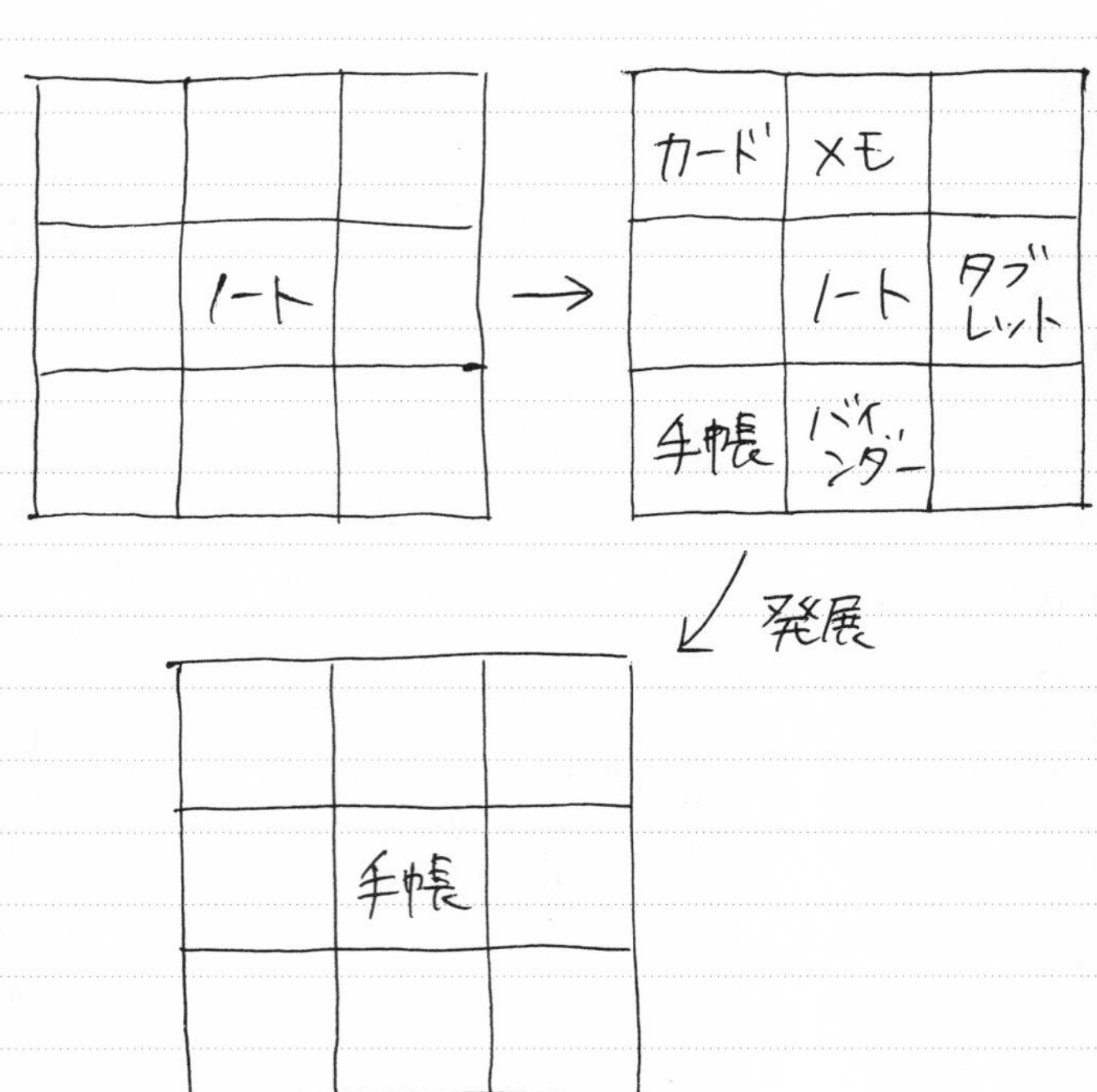

を示しているのです。

さらに、マスが配置されている点も重要です。あるマスに何かを書き込めば、その近隣のマスには近しい要素を書き込みたいと思うでしょう。逆に、反対側のマスには逆の性質を持った要素を書き込みたくなります。そのような「位置が持つ情報」は、「思い」を引っ張り出す性質を持っています。

ところてんを狭い容器に入れて押し出すのと同じで、頭の中に眠っている「思い」を表に出すためには、自由さだけでなく制約も力になってくれます。

技法19 マンダラートで「思い」を押し出す

「考え」を発動させるために

「思い」を明らかにしたら、次は「考える」です。自分の頭に浮かんできたものに、意識的に知的作用を向けていくターンとなります。そこで行われる行為は、整理・発想・分析・検討・統合・メタ化とさまざまな呼び方がされますが、ここではそうした分類には立ち入らず、ノーティングの観点からのみ検討していきましょう。

まず、一番シンプルな技法が「再び読むこと」です。自分が書き留めた「思い」を、時間が経ってからただ読み返すこと。これだけでも思考が発動します。なぜでしょうか。簡単に言えば、最初に思いついたときの自分と時間が経った後の自分が異なる存在だからです。

とは言え、細胞的に入れ替わっているとか、人格が変わっているなどといった大げさな話ではありません。単に、置かれた文脈（コンテキスト）が異なるだけです。最初に思いついたときの自分は、締め切り前の原稿で頭がいっぱいになっていたかもしれません。しかし、読み返したときの自分は歴史ドラマにどハマりしている可能性があります。ただそれだけのことで、自分が書き留めた「思い」の印象は変わってきますし、そこから出てくる新たな「思い」も変わってきます。時間が経ってから読み返してみると、「意外に面白いな（あるいはつまらないな）」といった再評価が起こることもありますし、「あれ、似たようなこと前に考えていたぞ」と発見することもあります。さらには、ついさっき読んだ本の内容との関連に気がつく場合もあります。なんにせよ、そのときに「思った」だけでは起こらない知的作用が生まれるのです。そして、そうした知的作用を発揮させるのが、書き留めておき、後から見返せるようにするノートの役割です。

待機する時間を極限まで短くしても、このやり方は機能します。つまり、今思いついたことを書き、その直後に書いたものを見返すことでも「思考」は発動します。文章を書く人ならばよくやっていることでしょう。自分が書き下ろした文章が、自分が言いたいことを適切に表しているのかを、書いてから検討するのです。不思議なことに、頭の中にある「思い」をそのまま文章に書き表すと、文法的に不正確だったり、意味が二重に取れたりして、文章として機能しにくいものができあがります。しかし、頭の中にある間はそのことに気がつけません。それに気がつけるのは、文章として書いた後なのです。そのような現象が起こること自体が、「思う」と「考える」が別であることを示しています。頭の中にまず「思い」が浮かび、それをノートに書き留めることで、今度はその「思い」が目から入ってきて——つまり知覚されて——自分の知的作用の対象となるのです。ここでは疑似的に、文章を書き下ろす自分と、その文章について検討する自分という「自分の分化」が生じています。思考というのは、そのように二者による「思い」のやりとり——対話によって進んでいきます。

技法20　書いたノートを別人として読み返す

組み換えてアイデアを生み出す

次なる技法は、「組み換える」です。特に複雑な技法ではありませんが、身につけると飛躍的に思考の幅が広がります。

たとえば、書き留めたノートを読み返していて、遠く離れた記述に共通点を見つけたり、逆に矛盾する記述を見つけたとしましょう。そのとき「では、どういうことが言えるか」と疑問を立てれば、そこから新しい思考が駆動しはじめます。これが「組み換える」です。

なぜこの知的作用が「組み換える」なのでしょうか。物理的に見れば、書き留めた順番を飛び越えてつながりを見出しているので、「時系列を組み換えて」いると言えます。しかしこの操作は、概念的に見れば、「文脈を組み換え」ているのです。要素AではXが有用だが、要素Aと近しいBではXはどのように機能するだろうか、という問いが誘発されるとき、そこでは文脈の組み換えが起きています。要素Aの文脈下にあったXを、要素Bのもとに組み換えているのです。

No.

Date

こうした組み換えの有用性は多くの思考法・発想法で指摘されていますが、有名どころを一つ挙げるならジェームス・W・ヤングの『アイデアのつくり方』がふさわしいでしょう。ヤングはその中で、「アイデアとは既存の要素の新しい組み合わせ以外の何ものでもない」と端的に指摘しました。つまり、「アイデア」と呼ばれるものは何もないところから生成されるのではなく、すでにある情報を組み換えたところに「アイデア」と呼びうるものが生まれるのだと指摘しているのです。これは天賦の才を持たなくても創造的行為が可能であるという点で勇気づけられますが、一方で何もしないで単に思いつくのを待っているだけではアイデアは生まれないことも示唆します。なぜでしょうか。それは前述したように、「思う」が習慣的なものだからです。

たとえば、Xという知覚をしたときに「A」と思ったとしましょう。次にXと知覚をしたときも「A」と思います。これが永遠に繰り返されるのが習慣です。このような状況では、XとAの組み合わせは固定されていて、「新しい組み合わせ」が生まれることはありません。習慣的に「思っている」だけではアイデアは生まれないのです。

さらに言えば、そのXとAのセットが他の多くの人々の頭の中にあるとき、その組み合わせは「常識」や「定番」や「よくある話」など、非アイデア的なものだと見なされます。

逆に言えば、同じようにXとAが自分の頭の中でセットになっていても、他の多くの人々がXとBをセットにしているとき、XとAのセットはアイデアと呼ばれる可能性が出てきます。少し変わった人が、アイデアをよく生み出すのはこうした傾向があるからでしょう。

問題を解決するには

この話は大切なので、もう少しだけ補足します。

たとえば「問題解決」といった場合、そこにある問題を、何かしらの手段を用いて解消することが求められます。そこで必要なのもアイデアです。なぜなら、問題が「問題」として認識されているのは、XとセットになっているAでは不具合が解消できないからです。もしXからすぐに連想されるAで不具合が生じないなら、それは問題だと認識されないでしょう。言い換えれば、習慣的な行動では不具合が起きるとき、そこに問題があると認識されます。当然、習慣的な行動を繰り返しているだけではその問題が解消することはありません。だからこそ、何かを変える必要があります。この場合は、行動や思考です。

問題解決のアプローチには、別の分野でうまくいっている方法を持ってくる、あるいは問題を起こしている原因を別の場所に移動させて無害化する、などの方法が考えられますが、それらも基本的には「組み換え」だと言えます。組み換えることで、習慣的思考や行動を逸脱していくのです。むしろ、そうしたアプローチを取らない限り、問題は問題として残り続けます。だからこそ、積極的に組み換えていくことが大切です。うまくいくかは別にして、まず「習慣」から脱することを試みるのです。そしてまさに、自分がどのような行動・思考習慣を持っているのかは、それを記録して可視化しないと捉えられません。まずノートに書き、それを組み換える。それが変化に必要なことです。

技法21 情報を物質化し組み換えを試みる

エラーとしての発想

組み換えには、ゲーム的な面白さもあります。たとえば、『武器としての決断思考』というタイトルを見かけたとき、『防具としての〇〇思考』と組み換えてみたり、『武器としての〇〇行動』と組み換えたりしてみると、何かを思いつくかもしれません。ちょっとした言葉パズルのようなものです。私は前者なら『防具としての対話思考』が思いつきました し、後者なら『武器としての協調行動』が面白そうです。皆さんも、何かしら違ったことを思いついたでしょう。このように、すでにある言葉の一部を組み換えてみることで、新しい「思い」が生まれてきます。

　では、なぜこのような新しい「思い」の生成（一般的に発想と呼ばれているもの）が起こるのでしょうか。それは人間の情報処理の特性が関係しています。人間の情報処理は常時起動していて、意識しようがしまいがその活動は止まりません。そして、その情報処理は対象が何であれ「答え」を出してくれます。正しいのか、正しくないのかは吟味されず、手持ちのパターンに当てはまる何かを結論づけるのです。

　その工程は、ベルトコンベアを流れる素材とそれを待ち受けるプレス機に似ているかもしれません。素材が流れてくると、機械が反応してプレスする。それは極めて自動的な反応です。だから私たちは、風の音が人の泣き声として聞こえたり、柳の揺れを幽霊に見間違えたりするのです。

　目の前に言葉（情報）が提示されたときも同じです。私たちはそれらから、否応無しに何かを「思って」しまいます。目に入った情報が脳の知的作用をトリガーし、正しいや間違っているという観点を抜きにした「答え」を自動的に出してしまうのです。そうした脳の作用は、ときに不合理で理不尽な判断を引き起こすと共に、誰も考えつかなかった帰結をもたらしてくれます。

コンピュータであれば、想定していないデータが入力されるとエラーとなりプログラムはストップします。しかし、人間の脳は違います。これまで処理したことがない組み合わせであっても――既存の知識を利用して――、なんとか「それっぽい」答えを無理やりひねり出すのです。人間にコンピュータと異なる創造性があるとすれば、この点でしょう。つまり、発想とはエラーなのです。異質な組み合わせでも停止せずに出力を生み出すエラー。それが自分すらも想像していなかった答えを「思い」つかせてくれます。

だからこそ、失敗を拒絶する環境では発想は生まれてきません。脳がそれを思いつこうとしても別の無意識によって抑制されるからです。しかし、ノートの中は違います。自分のために書くノートは、他者の批判にさらされることがありません。だから、さまざまなものを組み換えて、馬鹿馬鹿しいと感じていても気兼ねなく「思い」つき、それを書き記していきましょう。そのようなノートとの付き合い方が、脳が持つ発想の根源的な力を育成するのに役立ちます。

技法22 エラーとしての発想を楽しむ

もう一点つけ加えれば、私たちの脳が「それっぽい」答えを出すにせよ、無から生成するわけではありません。その時点で脳にあることを素材とします。よって、知っていることの多寡が答えのバリエーションに直接的に影響します（夢の中であっても知らない言語を話すことがないのと同じです）。だとすれば、たくさんの知識を持っていることは発想や創造においても大切です。どれだけインターネット経由で情報が手に入るにせよ、脳が無意識に処理するときにはその情報は参照されないのですから、発想に関しては既存の知識を蓄えておくことが有効になります。もちろん、そのためにもノートは役立つのですがそれは次章に譲りましょう。

並べる・位置づける

「組み換え」の技法を拡張すると、「並べる・位置づける」技法になります。共通の性質を持つ情報を集めたり、一定の秩序に沿ってソートしたりすることで、欠落している情報や新しい情報を浮かび上がらせるアプローチです。身近なものでは年表作成がありますし、他にも元素周期表や生物の分布図を作るのも「並べる・位置づける」技法と言えます。

No.
Date

この技法は、本格的に行おうとすれば大量の情報を扱うことになり、それこそ論文や書籍執筆につながる研究活動になります。もちろん、ノートに一定の蓄積ができてからはじめて可能になる技法なので、最初のうちから意識しすぎても仕方がありませんが、ノートを使い続けることは、そうした射程の広さを持っていることは理解しておきましょう。

また、大規模なものでなければ、これまでに紹介した技法のいくつかはここに位置づけられます。たとえば「これからやること」のリストを作ったり、買い物にいく前に「必要だと思うもの」のリストを作ったりするのは、この技法の部分的な実施と言えます。もちろん、買い物リストを作るときには、「この五年で買いたかったものをすべて並べるリストを作る」などとはなりませんが、ごく短い期間の「思い」を一ヶ所に集めているのは間違いありません。言い換えれば、もし「この五年で買いたかったものをすべて並べるリスト」を作ろうとするなら、それは書籍執筆と似たような知的作業になるのだと言えます。

大規模であるにせよ小規模であるにせよ、情報を一ヶ所に並べ、それを一定の基準のもとで配置していくことで知的作業を促す行為は、大量の情報を扱う上では欠かせません。ノートの書き込みが増えてきたら、そうした作業も意識してみましょう。

技法23 思いを並べ、それを処理する

書き写す効能

一度ある場所に書き留めたものを、別の場所に書き写すことで情報の文脈を変更する技法もあります。有名な手法は外山滋比古さんが『思考の整理学』で紹介しているメタ・ノートです。とは言え、別段難しい技法ではありません。まず着想ノートを書きつけ、その中で時間が経っても面白さを感じるものを別のノートに書き写し、さらにそのノートでも同じことを繰り返した結果として、アイデア純度の高いノートを作り上げるのがメタ・ノートです。前後に並べてある情報が変わるだけで、情報の受け取り方は変わってきますし、書き写しを行うと必然的に「もう一度読み返す」も発生するので、多重の効果を含む技法だと言えます。

利便性が高いデジタルノートでは、一度保存したら同じ形でずっと保持できてしまうので、アナログノート的な「書き写す」行為が持つ効果に気づけない傾向があります。ですので、デジタルノートであっても一度書き写してみてください。その際コピペするのでは

なく、もう一度キーボードで入力すると、内容が変化してしまうのに気がつくでしょう。書き手が変わっている（自分が別人になっている）からこそ、起こる変化です。それはもちろん、「思い」にもう一度知的作用を与えているわけです。

技法24 書き写すことで発展させる

No.

Date

コラム 梅棹のカード法

情報の組み換えや並び替えに関しては、梅棹忠夫さんの『知的生産の技術』が参考になります。1969年に書かれた本でありながら、デジタル時代でも通用する考え方が提示されているのがこの本の魅力です。ポイントは、そこで提示されている「カード法」というノウハウとそれを支える考え方です。綴じノートではなく一枚一枚がバラバラになっている情報カードに着想を保存していく手法は、情報の「原子化」を志向しており、さまざまな組み換えを誘発してくれます。デジタルノートにおいては、さまざまな組み換えがいくらでも可能になるので、梅棹のカード法の思想は現代でこそ花開くと言えるかもしれません。

疑問文の効能

書き出した「思い」に意識的に知的作用を与える行為が「思考」ですが、その活動をより効果的に行うために、疑問文をストックしておくのも有効です。たとえば「なぜ自分はこんな風に思ったのだろうか」や「共通点があるとしたらそれは何だろうか」といった問いを持てば、そこから自然に「思い」が促されるでしょう。あるいは「もっと大きくしたらどうなる」や「もし予算を十億円与えられて映画を作るとしたらどんな作品を作る」など疑問を持てば、論理的というよりも空想的な「思い」が展開されます。アイデアと呼べるようなものはこうした空想的な「思い」の発展から生まれることは先ほども確認しました。つまり、分析や統合、そして発想や類推といった思考のアプローチは、そこで発揮される疑問のタイプによって区分が可能なのです。

ＴＲＩＺに代表される発想技法も、そうした疑問文を使いやすくモデル化したものですし、ＫＪ法やＮＭ法などの日本発の技法でも、思考のプロセスを段階ごとにわけ、そこで発揮される疑問を定式化しているのだと言えます。それぞれの発想技法において実際にどのような疑問が用いられているかの詳細は優れた解説書に譲るとして、発想技法で使われている疑問の形に注意を向ければ、その骨子を捉まえられる点はぜひとも覚えておいてください。そしてもし、次どこかで発想技法を見かけたら、注目してみてください。これはどのような疑問を誘発しているのだろうか、と。

併せて、自分が日常的に発揮している疑問にはどのようなものがあるのかも確認しておきましょう。自分が習慣にしている「？」の形を明らかにするのです。

日々のノートを書いているならば、そのノートが参考になります。着想ノートや業務日誌を読み返すことで自分が何をどのように疑問に思っているのかがわかります。逆に言えば、そうした記録を残しておかないと、自分の「？」の形や傾向にはなかなか気がつけないものです。

また、他の人が持つ疑問に注意を向けるようにすると、自分の疑問のレパートリーも増やせます。何気ない会話やよく見かける文章の中には、さまざまな疑問文が使われているはずです。それらに注意を向け、見つけ出した疑問文で自分が持っていないものがあれば、それをノートに書き留めておきましょう。

そうして書き留めたノートもまた、一つの素材として「考え」ていけるようになります。

技法25 疑問の質と量を上げていく

「思う」は「考える」を取り込む

上記のような「思う」→「考える」のプロセスを繰り返し行っていると、少しずつ「考える」が「思う」に取り込まれていきます。どういうことでしょうか。

人間は、繰り返し行うことを学習します。そして、一度学習したものは以降意識しなくても実行できるようになります（車や自転車の運転が好例です）。これは「考える」についても同様です。何かについて「思い」、その後に、意識的に「考える」を繰り返していると、やがては意識しなくても行えるようになるのです。

直観は、経験によって鍛えられます。よって、意識的な「考える」を繰り返していくと、かなり複雑な「考える」でも脳は直感的にそれをこなせるようになります。熟練者の思考

No.

Date

が速いのはそのためでしょう。初心者ならば、一つひとつ「思う」↓「考える」という手順を踏む必要があるものを、それらをひとまとめに「思う」ことで処理できるのです。

つまり、私たちは「思う」↓「考える」を時間をかけて繰り返すことで、新しい思考習慣を身につけられるのです。「思う」は変えていけます（ただし完全にではありません。限界はあります）。そして、ノートはその変化の補助になってくれます。行動習慣を変えるだけでなく、思考習慣を変えることにも役立ってくれるのです。

やることは、そう難しくありません。ノートを使い、自分が習慣的に何に注意を向けているのかを理解した上で、その対象を変えていくようにしたり、あるいはそこで起こる知的作用を変えるようにしたりすることです。その積み重ねの先に、自分が何を「思う／考える」かの変化が待っています。

逆にノートのような脳の外部にある装置を使わなければ、私たちは既存の習慣に束縛され続けることになるでしょう。その束縛をどう評価するかは人それぞれですが、変化を求めるならばノートに助けを借りることが肝要です。なにせ「自分」だけでできることなど限られているのですから。

技法26 ノートによって思考を変える

考えるための静かな場所を持つ

ここまでの話を振り返ると、私たちが「思考」するために必要なことが見えてきます。それと同時に、現代を生きる私たちがそれを失いつつあることもわかります。

まず思考するためには、間が必要です。これは「ま」であり「あいだ」でもあります。何かを「思って」いるときの自分は、その意識しかありません。唯一であり全なる存在です。しかし、わずかでも時間が経てば、その「思い」そのものに注意を向けられるようになります。ある瞬間に「思った」自分と、その後の自分という二つの存在に分かれ、自分と自分に「あいだ」ができるのです。簡単に言えば、自分が思ったことに対して「いや、ちょっと待てよ」とツッコミを入れられるとき思考は可能となります。せわしなく次へ次へと駆り立てられ、「今」が刹那の感覚で移動していくような状況では、間は生まれず、思考は不可能となります。

また、刺激の制御も欠かせません。私たちの脳は不断に情報を処理しているのでした。だから、何か考えたいことがあっても、窓の外から「いしや〜〜き、いも〜〜」という声が聞こえてくると、途端に「思い」はホクホクの石焼き芋に飛び、最近の体重が気になり始めます。ここで強調するまでもなく、情報が不断に流れ込んでくるソーシャルメディアは不断に情報を処理する私たちの脳と好相性なツールであり、ゆっくり思考することにおいては極めて不向きな環境だと言えます。「考える」ためには、不要な刺激が少ない静かな環境が必要です。

さらに、余計な嘲笑にさらされないという意味での静けさも大切です。「思い」を自由に発展していく上では、厳しい他者の視線は役立つものではなく、むしろ害をなすものです。閉じた場所で、できれば一人になれる場所で、「思い」と向き合うのが望ましい環境です。

まとめると、次のような条件が出てきます。

- 自分が「思った」ことを外部化し、それを唯一の刺激として「考える」が行える場所
- そうして「考えた」ことの結果もまた書き記すことができる場所
- 不要な他者の目を気にせず自由に書ける場所

つまり、ノートです。

そして、インターネット・ソーシャルメディアが当たり前になる中で、私たちの日常から失われつつあるのがそうした場所でもあります。だからこそ、ノートを使うのです。

No.

Date

技法27 考えるための静かな場所を持つ

もちろん、自分の「思い」だけがあればいいわけではありません。自分の自然な「思い」と、理性的な「考え」、そして社会や他者からの視線（要求）。それらがバランスを保ち、どれか一つが抜きんでた存在になっていない状態が大切でしょう。しかし、現代は他者からの視線が強い権力を持っている傾向があります。その状況にカウンターを当てる意味でも、ノートを使い、自分の「思い」や「考え」を確立・強化することは意識していきたいところです。

No.

Date

まとめ

人間の直感的な「思い」は強いバイアスにさらされていて、既存の習慣に束縛される傾向を持ちます。それを変えるのが「考える」という行為です。私たちは意識的に「考える」ことによって、それまでよりも理性的に、合理的に答えを出せるようになります。

しかし、それはあくまで一人の人間における改善でしかなく、バリエーションは限られています。だからこそ、他者の疑問に注意を向けるのでした。その意味で、他者の疑問を借り受けることは、ある種の自己拡張だと言えます。他者の力を自分の内部に取り込むのです。

さらに言えば、間によって自分が二つに分かれることで、そこに他者性が出てくるのですが、他の人は何もしなくてもはじめから他者です。思考が自分と自分との対話によって進んでいくならば、他の人と対話することでも思考は促進されることでしょう。

自分の知識を増やすこと、自分の疑問を増やすこと、他者と対話すること。そのような

No.

Date

行いを象徴するのが読書です。そしてもちろん、ノートは読書でも役立ちます。

No.

Date

第5章

読むために書く

読書のノート

No.

Date

〝読書は、他人にものを考えてもらうことである。本を読む我々は、他人の考えた過程を反復的にたどるにすぎない〟

――『読書について』
（ショーペンハウアー）

〝人生を歩んでゆくうえで、すべての経験は進歩の材料である〟

――『知的生産の技術』
（梅棹忠夫）

No.

Date

読むことの不思議な力

私は今いくつかのことを思い浮かべながらこの文を書いています。この文を読んでくれた人に私が今いくつかのことを思い浮かべながらこの文を書いていることが伝わればいいなと思いながら書いているわけです。どうでしょうか。それは伝わったでしょうか。もし伝わったとしたら、実に不思議なことです。物理的に異なった存在であり、有線で接続されていない（not wiredな）状態であるにもかかわらず、何かが伝わっているからです。

作家のスティーヴン・キングはこの現象をテレパシーと呼びました。大げさに思えるかもしれませんが、たしかにここには不思議な力があります。そして、その力によって思考は鍛えられていきます。

建設的に読み替える

十九世紀ドイツの哲学者アルトゥール・ショーペンハウアーは「読書は、他人にものを考えてもらうことである」と辛辣（しんらつ）に述べました。本の読み手は自分の頭で考えることをせず、時間を怠惰に過ごしているのだと批判的な文脈で彼は語っています。逆に言えば、彼にとっては自分の頭で考えることが大切なわけです。

もちろんその意見には同意しますが、問題は「いかにして考えるのか」です。なにせ思考は「見様見まね」ができないのでした。ですので、頭ごなしに「自分の頭で考えろ！」と怒鳴っているだけでは問題は解決しません。

そこで、ショーペンハウアーの言葉を建設的に読み替えてみましょう。読書は他人にものを考えてもらうことである、そしてその考えは私の頭の中で起こる（テレパシーです）、だとしたら私たちは読書を通して他の人の「考え」を体験できるのではないか。そんな風に解釈するのです。実際ショーペンハウアーも「読書にいそしむかぎり、実は我々の頭は他人の思想の運動場にすぎない」と述べています。彼はこれを否定的なニュアンスで述べているのですが、むしろ私は「普段目にできない思考を体験できる機会」であると捉え直しました。そのように一ひねりして捉えると、読書が単なる受動的な時間の浪費ではなく、「普段は目にすることができない、思考を体験できる機会」へと変身します。読書することで、思考が「見様見まね」の対象になってくれるのです。

その「思考の体験」の実際例は、今まさに起きつつあります。

私は先ほど、悲観的な哲学者の言葉を「建設的に読み替える」という知的作用を発揮させました。最初にショーペンハウアーの言葉を「なるほど」と思った次に、それについて一ひねりある解釈を与えて（考えて）、新たなる情報を生み出したのです。これが思考（思って、考える）の一例です。そして、ここまでの文章を読むと、私の頭で起きていた思考が、あなたの中で疑似的に体感されたことになります。

もし、今まで一度も「建設的に読み替える」という知的作用を発生させた経験がないならば、これで一つのチュートリアルを体験したと言えます。その経験をノートに記し、引き続きその知的作用を何度も使っていけば、やがては脳に格納されてあなたの道具となり、他の物事についても同様の知的作用を発揮させられるようになるでしょう。

単に使用するだけではありません。それ自身に抽象化という知的作用を与え、「マイナスのものをプラスに読み替える」と発展させることもできます。あるいは、自分のそれまでの知識と「組み換え」ることで、多様なアレンジを施すことも可能です。

以上のように、読書を通して思考の道具は増えていきます。テレパシーがなければまず起こり得ない思考のバージョンアップがここにはあるわけです。

本を読むことにはさまざまな効能がありますが、本書が特に注目したいのはこの効果です。つまり、「他人の頭の中で起きていることを疑似的に体感できる」点です。なぜならそこれこそが、ノートとしての本の使い方だからです。

ノートとしての本

本もまたノートです。複数の意味でそう言えます。

まず、書き手にとって本はノートです。私が自分の考えをまとめた本を作れば、その考えにアクセスする際、書いた本を参照できるようになります。著者にとってのノートなのです。

また、読み手にとっても本はノートです。そこに記録を綴っていけるからです。たとえば、重要だと思う部分に赤線を引いたり、思いついた疑問を余白にメモしたりする読書術は有名です。読書の開始日や終了日を扉ページに記入したり、重要な語句を拾って自分で索引を本に書き込んだりする読書術もあります。そのように自由に書き込みをするならば、読み手にとっても本は「自分のノート」の延長線上にあると言えるでしょう。

コラム　ノートから本へのグラデーション

もし「本＝ノート」というイメージが持ちにくいならば、次のようなグラデーションをイメージしてみてください。まず、何も印刷されていない真っ白なノート帳があります。自由帳や落書き帳と呼ばれるものです。次に罫線が印刷されたノートがあり、その次に日付欄だけが書き込まれたスケジュールノートがあり、そして日付が埋められている手帳やさまざまなジャンルの情報が書き込まれた専門手帳が並びます。少しずつ、「あらかじめ書き込まれた情報」が増えているのがおわかりになるでしょうか。ここまでくれば、本まではもうあと一歩でしょう。つまり、本とノートはまったく異質なものではなく、あらかじめ印刷されている情報の多寡に違いがあるだけだ、と捉えられるのです。

本を読んで他者になる

本は書き手にとっても読み手にとってもノートでありえます。言い換えれば、本の上に自由に書き込みをするとき、そこでは「読み手」と「書き手」の境界線が曖昧になるのです。その曖昧さが越境を可能にしてくれます。書いた人の「考え」が読む人の頭へと滑り込み、そこで読み手は疑似的に「書き手」という他人になります。つまり、本を読むとき、私たちは読み手でありながら、潜在的な書き手でもあるのです。それがテレパシーの正体です。

テレパシーは何かを「受信」しているわけではありません。そうではなく、一種のエミュレーション（模倣）が生じているのです。書かれた文字を知覚し、そこから「こうであるかもしれない」という思考が駆動しているのです。

読み手は、内容の想像・創造者であり、その意味で読書は入力行為（インプット）ではなく、むしろ出力行為（アウトプット）だと言えます。かなり高度な知的作用が働いているのです。その作用こそが、テレパシーと呼び得るような不思議な力を、言い換えれば、あたかも他人になるかのような力を与えてくれるのです。

前章で確認したとおり、私たちは「考え」なければ、習慣的な自分から抜け出ることができません。逆に言えば、「考える」とは習慣的な自分からの逸脱を、つまり他人になることを意味します。本を読むことで他人の「考え」を体験し、ノートを使いながらその「考え」に自分の思考をぶつけていけば、私たちは「自分」でない自分へと変身していけるようになります。

本を読み、「考え」を仕入れ、それを使って自分から抜け出す＝他人になれることは、たとえ真の超能力ではなくても、不思議な力だと言えます。情報を「インプット」して賢くなる、といったものとはまったく別様の力が働いているのです。

そして、より大きく習慣的な自分から逸脱するためには、「考える」のバリエーションを増やすことが必要です。そのための本の読み方について検討してみましょう。

他者に運動してもらう本の読み方

まず、他人に自分の頭の中で運動してもらうために、最低限必要な心がけがあります。

- 信頼して読む
- 速読をしない
- 事前予想する
- 事後説明する

もっとも大切なのは「信頼して読む」ことです。信頼が欠如した状態では、新しい思考の獲得は望むべくもありません。たとえば、書き手はバカな奴なので滑稽なことを書いているに違いないという態度で本を読めばどうなるでしょうか。脳は予想した文脈に沿って情報処理を行うので、馬鹿にした態度で本を読めば、丁寧に筋を追いかけたり、細かく理路を確認したりすることはなく、むしろ自分の決めつけに適合する部分だけを拾い上げて「やっぱりそうだ」と納得して終わることになります。そのような態度の読書では、自分の先入観――「書き手はバカな奴だ」――を更新するための手がかりは何ページ読んだところで得られません。むしろ、元々持っていた思い(思い込み)が強化される結果に終わるでしょう。言い換えれば、そのような読み方では、自分の「思い」から一歩も抜け出られないのです。

思考の拡張を目指すのならば、それまでの自分の「思い」とは別の視点を持つことが必要です。しかし、私たちは何かしらの「思い」を常に抱えて生きています。先入観を完全にゼロにするのはほとんど不可能か、可能であるにしても相当の苦労が必要でしょう。よって、「思い」を捨てようとするのではなく、あくまで書き手を信頼する方向に意識を向けるのです。

具体的には、どのような本であっても著者は書き手として資格があり、誠実に自分の考えを表そうとしており、読み手を貶めようなどとは思っていない、というスタンスの維持に努めるのです。そのようにして意識を組み換えない限り、脳の中の新しい運動は起きないでしょう。

もちろん、ここで信頼するのは本の書き手や作り手についてであり、主張や結論そのものではありません。偉い人が本を書いているから、その内容は正しいはずだと推量するのは（ましてや確信するのは）、内容の吟味を経ない点において「思い」のままで読んでいるのと変わりありません。つまり、批判すればいいとか批判してはいけないといったことではなく、そうした判断の手前の状況で本を読みはじめることが、信頼して本を読むことだと言えます。

あるいはこれは、「素直に読む」と言えるかもしれません。けんか腰でもなく、いちゃもんをつけるつもりでもなく、著者が想定したであろう文脈に沿って文章を読み解こうとする姿勢です。その姿勢は、あたかも「自分のノート」であるかのように本を読むとも言い換えられます。自分のノートに読みにくい字が書いてあっても、それを落書きであるとは思わずに、自分は何かを書き残そうとしていたのだと素直にその意味を汲み取ろうとするでしょう。多少意味が伝わりにくい文章があっても、それが「自分のノート」であれば批判的に読むことはしないはずです。それと同じようなスタンスで本を読むことが、他者に運動してもらうためのもっとも大切な心がけです。そうでない限り、私たちは自分の「思い」に沿ってだけ読んでしまい、自分の「思い」の外にあるものを拾い上げられなくなります。

技法28 あたかも「自分のノート」であるかのように本を読む

コラム 素直に読むのは難しい

「素直に」読むのは簡単そうに思えますが、存外にそうではないのはネット書店に掲載されている書籍のレビューを見ていると痛感します。本には書かれていないことをあげつらったり、著者の論点からずいぶん外れた感想がたくさん見つかるのです。書かれてあることを、著者が伝えようとしている意図通りに読むことは、一定の慣れが必要なのでしょう。だからこそ、はやいうちから訓練しておきたいものです。

No.
Date

丁寧に読み進める

また、信頼をおいて読んでいたとしても、ものすごい速さで読み進めていたのでは思考の運動は起こりません。なぜなら、素早く読み進めるという高速処理で発揮されるのは直感的な情報処理であり、つまりは「思う」だからです。特に速読と呼ばれる技法で本を読むことは、キーワードの拾い上げが基本になり、そこからの論の構成や全体像の推量では、その人がすでに持っている思考のフレームワークが使われます。つまり、「思い」の中でしか情報を処理できていないのです。

「思う」から抜け出すためには、そのような直感的で高速的な情報処理から抜け出さなくてはいけません。よって、思考を拡張したいと望むなら、素早く読み進めるのは厳禁です。むしろ、理解するのが困難な場所を飛ばし読みするのではなく、ゆっくりと、ときに何度でも注意を向け、その意味を汲み取り、論旨を追いかけようと努力することが大切です。

普段伸ばしていない筋肉を伸ばすときに多少の痛みが伴うように、自分が持っていない「考え」を発揮させるのには負荷が伴います。しかし、その負荷はむしろ自分の頭が慣れない動き＝新しい動きを行っていることの証左でもあるのです。自分の思考を拡張していくならば、そうした負荷を受け入れる姿勢も必要です。

また、そのような運動が可能なメディアこそが、本＝ノート、つまり書き文字のメディアであるとも言えます。じっくりと読み進められ、時間がかかるところは自分のペースで何度でも繰り返し読むことができる媒体。情報処理のペースに自律性がある媒体。そのような媒体こそが、「思い」に「考え」をぶつけるのに最適なメディアと言えます。

技法29 知的なトレーニングとして著者の思考を追いかける

予想してから読む

人間は何かしらの先入観を持つものですから、意識的にそこに注意を向ける方法もあります。本を読みはじめる前に、「この本にはこのような内容のことが、こんな風に書いてあるだろう」という予想を文章にしておくのです。

ノートに予想を記述することで、自分が無意識にどのような先入観を持っているのかが自覚できるようになりますし、それ以上に読み終えた後にその予想を見返すことで自分の中にあるギャップに気がつけるようになります。人間は、予想とズレたときにその出来事を強く記憶に刻む傾向がありますが、しかし人間は「はじめから自分はそう思っていたよ」と後付けで印象を操作する傾向もあります。事前予想をノートに書き留めておくと、その予想が固定されて後からの変更が不可能になり、ギャップからの学習を十全に活かせるようになります。言い換えれば、自分の「思う」に対して、ノートがフィードバックを返すようになるのです。これも思考を拡張するためには有用な方法です。

技法30 事前予想を書く

他者に説明する

ここまで紹介してきた技法を劇的に強化するのが、本を読み終えた後にその本の内容を他の人に説明する技法です。この技法の重要性は、どれだけ強調してもしすぎることがありません。単純に本の内容を概略してもよいですし、本に登場する概念や出来事について紹介しても構いません。なにせ読んだばかりの本の内容です。簡単にできると思われるでしょう。しかし、実際にやってみるとずいぶん驚かれるはずです。自分が思っているようには、うまく説明できないのです。「あれ、自分はもっとわかっているつもりだったのに」という感覚が湧いてくるのです。説明できると思っていることと、実際に説明できることにギャップがあるとも言えるでしょう。そうしたギャップは、説明深度の錯覚と呼ばれています。言い換えれば「わかっているつもり」であったことが、その瞬間にわかるのです。

ここで多重な出来事が起こります。まず、自分の理解が浅いものであることが自覚されます。それは次なる理解（知識獲得）への呼び水となります。また、「思い」が間違っていたというフィードバックが発生し、それが記憶をより強烈にします。自分の「思い」が不完全であることが突きつけられるのです。

「思い込み」を打破するためには、「思い」に閉じこめられているわけにはいきません。「思う」の不完全さを実感する必要があります。その実感が、本の内容を誰かに説明しようとするときに生じるのです。

コラム　知ったかぶりの効能

説明深度の錯覚は、私たちが知ったかぶりをしてしまったり、理解していないことを理解していると勘違いするデメリットとしてよく理解されます。しかし、見方を変えれば「完全に理解できていない知識であっても、その知識が存在することはわかり、言及しようと試みることができる」という特別な能力としても捉えられます（今発揮されたのが「マイナスのものをプラスに読み替える」の知的作用です）。その意味で、私たちは他者の知識をあたかも自分の知識であるかのように扱えているのです。仮にそれが知ったかぶりであっても、一度知ったかぶりであると気がつければ、より詳しく知ろうと思えます。知識の入り口としての機能があるのです。逆に、完全に理解できていなければ一片たりとも知識が扱えないなら、私たちは新しい知識をほとんど使うことができなくなるでしょう。

だからこそ「説明深度の錯覚」は悪いことではありません。自分の中にある知識を誰かに説明しようと心がけている限り、その錯覚は常に自分の思考をバージョンアップさせる駆動力を提供してくれます。

技法31 他の人に読んだ内容を説明してみる

実際に他の人に説明してみるのが一番よいのですが、その相手がなかなか見つからないなら、他の人に説明してみるつもりでノートに書いてみるのでもよいでしょう。それだけでも、ずいぶんギャップに気がつけるはずです。

粘り強くしかし固執せず

このように本の内容を理解し、自分の思考のバージョンアップに役立たせるには、情報を漠然と――無意識の「思う」にまかせて――処理するのではなく、意識的な処理を行うことが肝となります。

とは言え、込み入ったことは何もありません。基本的には、その本で展開されている理路を丹念に追いかければいいのです。言い換えれば、著者が考えたように、自分も考えるのです。目の前でインストラクターが体を動かしているのをそのまま真似する感覚です。

もちろん、ある程度時間をかけてみて、それでも理路が追い切れないならば深追いはやめておきましょう。体の運動と同じで、可動域を超えて動かそうとしても負荷が大きくなりすぎるだけです。どうしてもわからなければ、その地点は保留にしておき先に進みましょう。先に進んでみることで、後から理解が及ぶ場合もありますし、時間を置くことで別のわかりかたが立ち上がってくることもあります。ある程度粘ってはみるが、固執しない姿勢が大切です。そもそも一度読んだだけですべてが理解できると思う方が傲慢でしょう。人間の知的能力はそこまで高いものではありません。自分に可能な範囲で、しかし「思う」だけで効率的に読んでいかないようにすればそれで十分です。

逆に言えば、理路を追わないで読めば、本はすごく速く読めます。その分野について十分な知識があるならば、飛ばし読みであってもその本の内容は摑めるでしょう。そうした処理が可能であることも、人間の知性の優れている点ではあります。単なる「情報収集」ならば、そうした速い読み方が適しているので、適材適所で読み方を変えていきましょう。

内容をまとめる

より精緻に読んでいくならば、誰かに説明するだけでなく、自分なりに内容をまとめる

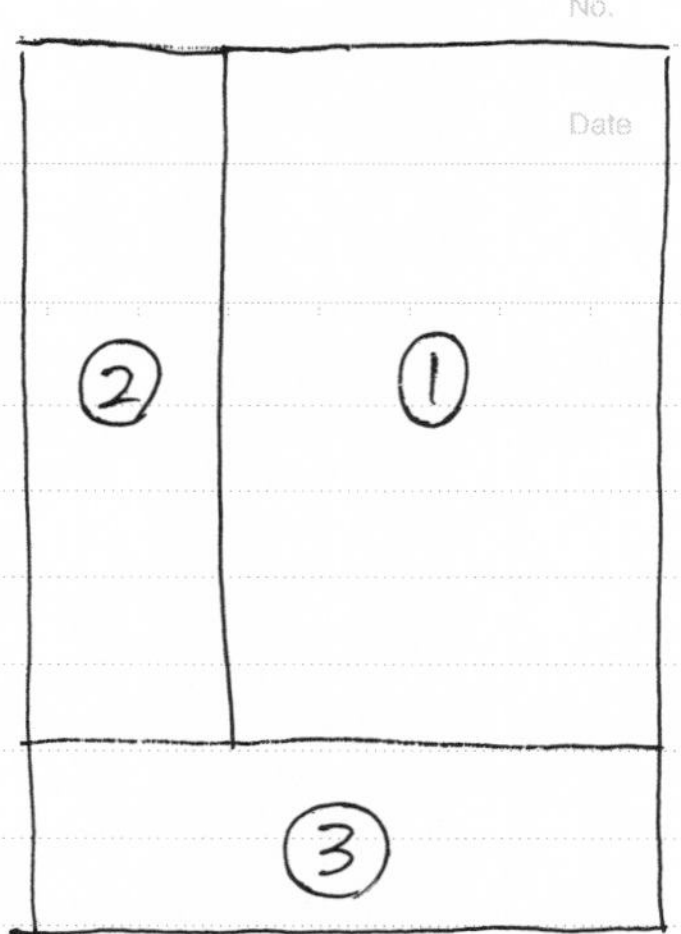

① ノート：講義の内容を書きとめる。
まずここに記入する。

② キーワード：復習時に使用する。ノートの
内容で重要だと思う単語を
書き込む。疑問や質問なども。

③ サマリー：復習時に使用する。ノートの
内容を2〜3行でまとめる。
できるだけ簡潔明瞭に表現する。

方法もあります。これも知的作用を発生させるので、理解の手助けになります。もちろん、ノーティングの技法はここでも役立ちます。

たとえば、全体についてまとめるにはラジアル・マップが有効です。特に「紙一枚」で内容をまとめようとすると、すべてを書き切れるわけではないので取捨選択が発生し、それが知的作用を促します。「何がこの本のメイントピックか」を考えざるを得ない、ということです。まとめは、漠然とは処理できないのです。

まとめの手法としては、コーネルメソッドも有効です。大学の講義内容を整理するために提唱されたこのノーティングの技法は、大学ノートに二本の線を書き加え、分割された三つの領域にそれぞれ役割を与えることで情報整理を進めます。

技法32 コーネルメソッドで本の内容をまとめる

No.

Date

コラム　領域展開

記述領域を分割し、それぞれの領域に役割を与えるのはノーティングの基本的なメソッドです。なぜ基本的かと言えば、人間が対象を認識する際に「空間」（あるいは場所）をフレームにする傾向を持つからです。皆さんも、何かを思い出すときに「上のほうにあった」とか「右ページに書かれていた」といった想起の仕方をするのではないでしょうか。情報が場所と結びついて記憶されている証左です。よって、アナログノートだけでなくデジタルノートでも、このメソッドは役立ちます。単に保存するだけでなく、「この場所には、この役割を持った情報を置く」と決めておくのです。ただそれだけのことでも、情報がごちゃごちゃしてしまう状況を避けられるでしょう。

読書ノートであれば、ねぎま式と呼ばれるメソッドもあります。ノートに引用部分を書き写し、その下に自分の感想を書いて、さらにその下に引用部分を書いて……と交互に繰り返していくノーティングの技法です。一ヶ所に本からの引用と自分の考えが集まっているので、後から読み返したときにそれらを串刺しして目を通せるのが最大の特徴です。ただし、この技法は読書中にさまざまなことを思いつくようになった段階ではじめて効果を発揮します。思考の足腰を鍛える段階では、自分の感想よりも著者の考えを丁寧に追いかけた方がよいでしょう。そうした作業に慣れてきたら、次なる一歩としてさまざまな技法を使って自分なりの感想をノートに書き留めていきましょう。

技法33 ねぎま式で自分の感想を串刺す

ともかく、どのような手法を使うにせよ、大切なのはできるだけ素直に読み、本について後からまとめたり、他の人に説明しようとしたりすることです。そうした行為をするのとしないのとでは、理解の深さが変わってきますし、新しい思考を手に入れられる可能性も違ってきます。思考の拡張を目指すならば、こうした本の「使い方」を意識してみてください。

読書活動にノートを利用する

本を読むことそのものがノート（記録）の活用であり、またノートを利用して本を読む行為を深めていけることがわかりました。もちろん、そのようなややこしい話ではなく、単純に読書活動にノートを活かす方法もあります。つまり、「一冊の本を読む」という単発の行為ではなく「本を読み続けていく」という継続的な活動だと捉えれば、本書でここまで紹介してきた実行に関するさまざまな技法を活かせるのです。せっかくですので、これまでの技法を実際に使うとどうなるのかを示す実践例として紹介しておきましょう。

まずこれから本を読んでいくのだとしたら、自分は何を求めて読むのかを書き出します。頭の中だけで「思う」のではなく、それについて「考える」ためです。思ったことをそのまま文章にするフリーライティングを用いてもよいですし、中央に「本」や「読書」を置いてラジアル・マップやマンダラチャートを書いてもよいでしょう。なんであれ、自分がそのプロジェクトについてどんなことを思っているのかを洗い出します。

技法34 (自分で名前をつけてみてください)

それが終われば次はリスト作りです。まず読みたい本や買いたい本のリストを作りましょう。最初は欲張らず五～十冊程度に絞っておくのが賢明です。たとえあなたが大富豪であり、欲しいと思った本をすべて即座に購入できるとしても、まずはリスト作りから取りかかるとよいでしょう。

当然そうしたリストは、先ほど書いた洗い出しの影響を受けます。とは言え、ここで注意したいのはフリーライティングやラジアル・マップの結果をそのまま
リストに反映させる必要はないということです。たとえば、ラジアル・マップで「経済」「政治」「英語」といったキーワードが出てくると、リストにもそうしたカテゴリを作りたくなります。しかし、その欲求はいったん抑えておきましょう。初めの段階でそこまで細分化されたリストは必要ありませんし、そうした分類を考えはじめると本来注意を向けるべき対象から思考がズレてしまいます。

ですので、簡易でよいのでまずはリストを作ります。自分がこれから買おうと思う本のリストを作るのです。そして、新しく本が欲しくなったら、そのリストに追加します。自分の「この本を買いたい」という思いをそのリストに集約するのです。

もう一点、注意があります。本を買うときに必ずそのリストから選ばなければならないとは思わないようにしてください。そのように捉えてしまうと、不自由感が増しますし、つまらなさも膨らんでいきます。そのような感覚を味わうためにリストを作るのではあり

ません。単に本を買うときに「そういえば、自分はどんな本を買おうとしていたのか」を思い出す手がかりにすればいいのです。それを思い出してなお別の本が買いたくなるならば、その本を買いましょう。私たちがリストを使うのであって、リストに私たちが使われるわけではありません。これは大切なポイントです。

技法35 （自分で名前をつけてみてください）

読むためのリスト

いくつか本を購入したら、次は読むためのリストです。本は一冊ずつ買い、買った本を読み終えるまでは絶対に次の本を買わないと決意&実行できる人ならば別に構いませんが、そうでないならばたいてい同時期にいくつか読む本の選択肢があるでしょう。その中で、今はこれらの本を読んでいきたいと思うものを五つ程度選び、それをリストにしておきます。重ねて強調しておきますが、そのリストは修学旅行のしおりでもなければプログラミングのアルゴリズムでもありません。そのリストに絶対に従わなければならないとは思わないようにしましょう。あくまで心覚えであり、参考情報程度の位置づけです。しかし、そうして書き出し、読み返しをするだけで、瞬間的な反応だけに囚われた状態から一歩抜け出すことができます。

技法36 （自分で名前をつけてみてください）

そのようにして準備を整えたら次は実行です。実際に本を読んでいきましょう。

まず、「本を読もう」という決意を忘れないようにするためにはどうすればいいでしょうか。「そんなことを忘れるはずがない」と思う人は、その「思う」に「考え」をぶつけてみてください。本当にそうだろうか、と。そのように一見簡単なことでも、私たちはうっかり忘れてしまうものです。むしろ、「一見簡単」だからこそ脳が注意を払わず、日常的な行動に押し流されてしまいます。日常的にすでに本を読んでいる人ならばともかく、そうでないならば何かしら意識的な仕組みが必要となります。

たとえば、その一つに「物リマインダー」があるのでした。物自体によって、その物に付随する行為を思い出せるようにするテクニックです。よって、一番簡単な方法は読もうとしている本をいつでも持ち歩くことです。子供のような解決方法と思われるかもしれませんが、このシンプルな方法が一番強力であるのは間違いありません。作業机に本を置いておく、いつも持ち歩くカバンの中に本をいれておく。そうした仕組みがあれば、本を読むことを忘れないですみます。

あるいは、日常的にタスクリストを使っているならば、そこに「本を読む」という項目を加える方法もあります。もちろん、その項目を見れば「本を読む」ことが思い出されるのですが、それだけではありません。もし数日間「本を読む」が達成されていない事実が確認できたなら、それは「考える」契機となります。行為を忘れているわけではないのにできないのはなぜでしょうか。時間が足りないのでしょうか、あるいは集中力が高まらないのでしょうか。もちろん、その時点では「正解」はわかりません。よって、仮説を立てて確かめる必要があります。まるで科学者のように実験していくのです。

たとえば、作業の順番を変更したり、作業内容を効率化すれば読書のための時間を生み出せるかもしれません。あるいは読書するタイミングを朝の早い時間帯に持ってくることで集中して読めるようになるかもしれません。これらはすべて仮説であって、確証は何一つない「思いつき」でしかありませんが、それを自分自身で実験し、実証していけば少しずつ確証が増えていきます。

自分の実験と方法

タスクリストの有用性はこうした点にあります。記録や日記が役立つのもこのためです。状況を認識し、そこから仮説を立て、現実に少し変化を与えて、結果を観察する。そのようなプロセスを繰り返していく中で、少しずつ自分の「実証結果」を増やしていくのです。このやり方を採る限り、他の人に「正解」を教えてもらう必要はありません。最初にヒントになる「考え」さえ提示してもらえれば、後は自分で実験してそれが使えるものなのかを確かめていけばいいのです。そうした実験を繰り返す中で、誰も気がつかなかった自分なりの発見をたまたま見つけるかもしれません。そうなったらすごく楽しいでしょう。楽しいことは続きます。

ともかく、タスクリストや作業記録は一つのデータです。科学者がデータを重んじるように、私たちも自分に関するデータを大切に扱いましょう。そうしたデータを抜きにして、思いつきで何かを変えようとしても、結局「思い」に囚われるだけです。「思う」だけでなく、「考える」を入れていくことを意識してみてください。

技法37 （自分で名前をつけてみてください）

No.

Date

コラム 中間的な方法

本を常時携帯するのは難しく、タスクリストも使っていないなら、「読もうと思っている本リスト」を目に入る場所においておきましょう。普段使っている手帳やデジタルノートに書いておくのです。ちょっとした時間にそうしたリストが目に入れば「そういえば、自分はこんな本を読もうと思っていたのだった」と思い出せます。それが、以降の時間の使い方に微細であっても影響を与えてくれるでしょう。少なくとも、まったく忘れていて思い出せない状況とは違った変化を起こせるはずです。

読書を動機づける

より強く読書を動機づけたいなら、ハビットトラッカーを使いましょう。毎日読書できたかどうかをチェックするための表を作るのです。単純に一行でも読めたら○、読めなかったら×としてもいいですし、どんな本を何ページ読み進めたのかを数値的に記録してもよいでしょう。

そうした記録を続け、作成した表のマスが埋まっていくと、不思議なほどに「そうだ今日も本を読もう」という気持ちが高まってきます。マスを埋めたり、数字を増やしたりすることがゲーム性を帯びはじめるのでしょう。そのゲーム性が、読書の強力な動機づけになってくれます。

一方で、そういうゲーム感に嵌まり込んでしまうと、「いかに読了ページ数を増やすのか」に注意が向けられてしまい、簡単な本ばかりを選んでしまうことにもなりかねません。そうしたときにこそ、一番最初に書いた「本を読む理由」を振り返ってみるタイミングです。知識を深く理解したいと思ってはじめたはずの読書が、ページ数稼ぎにすり替わっているならば、軌道修正が必要でしょう。しかし、あるゲームに夢中になっているときは、そうした「考え」がなかなか起こらないものです。だからこそ、一度落ち着いて「思い」を振り返り、そこに「考え」をぶつけられる場所が必要です。ノートはそのために活躍してくれるのです。

そのようなゲーム性とは別に、日々読み進めたページ数を記録しておくと、自分の平均的な読書速度が計算できるようになります。その数値は、記録を残さない限りはわからないものであり、体感的な（自分が予想する）量とズレがちなので、一度記録してみる価値はあります。

記録の相転移

以上のように記録を取りながら読書を続けていると、時間が経った後に自分の行動の振り返りができるようになります。たとえば、一年の最後に「今年自分はどんな本を読んだのか」を振り返ったり、「このテーマについて自分はどんな本を読んできたのか」を確認できたりするのです。やってみるとわかりますが、これはなかなか楽しい行為です。もちろん、楽しいだけでなく、他の人にお勧めの本を聞かれたときに、記憶以外の場所から情報を持ってこられる便利さもあります。ノートに感想を書いておけば、それを参照しながら読書感想文や書評を書くこともできますし、そこから自分なりのアウトプット（知的生産）を行うことも可能となります。

No.

Date

それだけではありません。あなたがもし将来偉大な成果を残す人になったら、没後にはそうした記録が研究的な資料として活用されるでしょう。偉大な人にならなくても、家族や知人がその人を懐かしめる情報にはなります。つまり、自分のために残した記録は、自分のためだけのものではなくなるのです。その記録が示す足跡は、自分の歩みの振り返りを手助けしてくれると共に、他の人があなたの歩みを認めるための情報にもなりえます。日々の小さい行動の記録が、人生の足跡になる。記録には、そんな越境性もあります。

完全には至れない僕たち

本＝ノートを使うことで、私たちは他者の「考え」を自分の思考に役立てられるようになります。この世界には無数の本があるのですから、そうした本をどんどん読んでいけばぐんぐん知性が高まり、やがては真理に到達できるかというと、そういうわけにはいきません。

第一にたくさん本を読んだとしても、本の選択や読み方が問題となります。自分と同じ「思い」ばかりの本を読んでいても、思考は拡張されることなく、むしろ一つの「思い」ばかりが強まってしまうでしょう。また、自分の「思い」とは異なる「考え」が綴られていても、それを汲み取ろうとして読まない限りは自分の中に新たな「考え」が芽生えることはありません。よって、そのような読書をどれだけ続けても、最初の自分の「思い」からは一歩も抜け出せないでしょう。

それだけではありません。どれだけ他人の「考え」を取り込もうとも、最終的にその「考え」が発揮されるのは一人の人間の頭の中です。不完全な人間の中なのです。そのような思考が、完璧完全な場所にたどり着くことがあるでしょうか。かなり厳しいでしょう。以前よりも少し正確に、前の考えよりも少し精緻になることはあっても、完全無欠には至れません。

つまり、本を読んでどれだけ思考を鍛えたとしても、私たちはいつまで経っても不完全であり、その不完全性から抜け出ることは叶いません。いつでも誤謬が、盲点が、論証の甘さが、反証の可能性が、「そうでないかもしれない」がつきまといます。これは避けがたい事実です。

不完全でありながらも

だからこそ、二つのことが言えます。一つは「完全な考えに至ってから行動に移そう」

と考えていては、いつまでたっても行動には移せない、ということです。求めている条件が満たせないのですから、必然の結果でしょう。言い換えれば、私たちは不完全な中でしか行動に移せないのです。計画を立てたり、準備を進めたりしても、それによって完全完璧に至れるわけではありません。だからどこかの段階で、「考える」を中断して、えいやと行動に移す必要があります。当然、うまくいかないことも出てきますが、それは仕方がありません。私たちが人間である以上受け入れるしかない不完全性です。

また、「どこかの時点では考えるのを止めて、行動に移すしかない」という状態に置かれているのは、自分だけではありません。身の回りのあらゆる人が同じ状態に置かれています。皆不完全な中で行動しているのです。よって、自らの不完全さを受け入れるのと同様に、他者の行動にも同様の不完全さがあることを受け入れるしかありません。行動とは、不完全であることと同義なのです。

技法38 考えを中断し実行に移す

考え続けること読み続けること

もう一つ言えることは、あらゆる行動が不完全であり、思考もまた完全には至れないからこそ、私たちは考え続けなければなりません。少なくとも、どうせ不完全なのだから考えなくてもよいと投げ出してしまうのは早計でしょう。なにせ、まったく考えないことと、少し考えることには違いがあるのです。ただ、その「少し考える」をどれだけ積み重ねても、完全には至れません。ただそれだけの話です。

それはつまり、思考においては「これ以上はもう考えなくてよい」という地点がないことを意味します。考える余地はいつでも残っているのです。ただ、現実的な状況においては、その余地をいったん捨てて実行に移す必要があるのです。

実行に移せば結果がわかり、その結果から新たに考えを進めていけるようになります(「自分の実験」の話を思い出してください)。むろん、そのためにノートは役立ちます。中断した考えをノートによって再開できるからです。

同様に、どうしたって完全な考えに至れないのですから、私たちは常に読み続けて、新しい「思考」を取り込む必要もあります。考えることは考え続けることであり、読むことは読み続けることです。その継続の大きな流れの中で、ときおりの実行という切断線を入

No.

Date

れていく。そのバランスが大切です。

技法39 中断しても考えを再開し続けていく

まとめ

この章では少しだけ込み入った話をしました。簡単にまとめておきましょう。

まず、思考を拡張するための読書の方法です。単に文字を追うだけでなく、素直に読んで丁寧に理路を追いかけていくと、普通は目には見えない他人の頭の動きを「見様見まね」できるようになります。そうした動き＝運動を発生させる繰り返しが、思考を拡張してくれます。適切な運動をしていれば、筋力がつき、柔軟性が増すことは意外でもなんでもありません。それが思考においても起こるのです（この逆が、いわゆる頭が固くなる状況です）。もちろん、ほとんど負荷をかけない運動は能力の向上には役立ちません。他人の力を借りてでも、自分の頭を動かさない限り、思考の技能は向上しないわけです。

また、読んで終わりにするのではなく、他の人に説明したり、自分なりにまとめてみたりと手や頭を動かすことで、よりいっそう本の内容が頭に入ってきます。自分が理解できていないという事実が理解できるのは、たいてい他の人に説明をするときなので、積極的にそうした活動を行っていきましょう。

最後に、思考と行動の関係があります。不完全な私たちは、思考を一度中断して実行に移すことが必要です。いくら「考える」が大切であっても、考えてばかりではどこにも進めません。考え続けることと、それらを中断して実行することの両方が必要です。


総じて言えるのは、越境装置としての本＝ノートです。読書を通して他人の考えを自分の頭に滑り込ませられます。また、他人に説明するかのようにノートを書けば、そのことが結果的に自分の理解を深めます。そしてまた、自分のために書いた記録が、いつしか他人の役に立ったりもします。

ノートを使い、記録を残すことは、自分と他者の境界線を攪乱（かくらん）させる効果を持ちます。言い換えれば「自分のため／他人のため」という線引きが曖昧になるのです。だからこそ、他の人に向けて伝えることが、同時に自分のためにもなっていくのです。

No.

Date

No.

Date

第6章

伝えるために書く

共有のノート

No.

Date

“愛に於ては自他合一し、
他に於て自己を見るのである”

―「永遠の今の自己限定」
（『近代日本思想選 西田幾多郎』）
（西田幾多郎）

“何かを測るときに、つねにひとつの
統計で要約できるなら、
人生はもっとシンプルだっただろう。
だが、だいじなことの多くが
一面的な統計では測れないからこそ
人生はおもしろいとも言える”

―『ヒューマン・ネットワーク』
（マシュー・O・ジャクソン）

自分のノートから少しだけはみ出る

ここまでノートの効果と技法を紹介してきました。簡単に振り返っておきましょう。

ノートは個人の「知」を高める効果を持ちます。人間は直感的・本能的な情報処理過程と、思索的・理性的な情報処理過程の二種類を持ち、後者の働きを高めるのがノートというツールです。頭に浮かんでくるさまざまな「思い」を整え、行動に移す手助けをするだけでなく、間を作ることで「考え」を生んでいけます。これらはノートがなくても実行可能ではありますが、暗算で円周率を計算することも原理的には可能である、という意味での可能性でしかありません。つまり、ほとんど不可能ということです。私たちが持つ両方の情報処理過程をバランスよく発揮させていくためには、ノートの積極的・意識的な利用が欠かせません。

さらにノートの力を発揮させる上で、「他の人に読めるように書く」技法の重要性も確認しました。自分の頭の中にある情報を他の人に説明するかのように記述を進めると、思考の整理が進み、理解も深まります。ですので、他の人が読まない自分のノートであっても、他の人に読めるように書いていくのは有効です。

では、その技法をもう一段深めてみたらどうなるでしょうか。自分のために自分のノートを書くのではなく、他の人に向けてノートを書くのです。そのように少しだけ「自分のノート」からはみ出てみることで、ノートの力はさらに高まります。

他の人に向けてノートを書く

では、「他の人に向けてノートを書く」とは、具体的に何を意味するのでしょうか。難しく考える必要はありません。私たちは日常的に「他人に向けて書かれたノート」を目にしています。たとえば、インターネットで何かを検索すれば、ウィキペディアのページが高確率で見つかります。ゲーム攻略Ｗｉｋｉや、個人のブログが見つかることもあります。それらすべてが「他人に向けて書かれたノート」です。そのように考えれば、この世界は「他人に向けて書かれたノート」で溢れ返っていることがわかります。気後れする必要はどこにもありません。

とは言え、慣れていないと「他の人にわかるように書くこと」は難しく感じられるでしょう。義務教育では、文法的に正しい文章を書く技能を教えてはもらえますが、「他の人に向けてノートを書く」ための技能はあまり教えてもらえませんし、実践的な訓練も少ないものです。大学や社会人になって急に「他の人にわかるように書く」技能を求められても、

「そんなことは自分にはできない」と感じるのは致し方ありません。

しかし、逆に言えばただ慣れていないだけとも言えます。一度挑戦してみれば、そこまで難しい行為ではないことに気づかれるでしょう。場数を踏んでいけば、少しずつの上達も期待できます。とは言え、取り組んだらすぐにうまくいくほど簡単でもありません。ある程度の練習は必要となります。なぜなら、文章を書くことはテレパシーだからです。

テレパシーの難しさ

前章で書いたように、文章とはテレパシーです。以心伝心ではありません。

何かを思えばそれがそのまま相手に伝わるのが以心伝心だとすれば、他人の心を「読み」取るのがテレパシーです。自分の心の中に、相手の心の考えを自分で構築する作業が「読む」行為なのだと言えます。

その意味において、文章の書き手は直接的な作用を何も及ぼせません。今あなたがこの文章を読み、「そうか、文章の書き手は読み手に直接作用を及ぼせないのだな」と理解していたら、その理解はあなた自身が自分で組み上げたものであって、私があなたの心に出向いていって、その理解を脳に書き込んだせいではありません。すべては、読み手＝受け手の仕事なのです。

書き手にできる貢献は、そうした受け手が行う組み立て作業の補助に限られています。ここに「他の人にわかるように書くこと」の難しさがあります。

脳同士をコードで直結して、心に思い描いているもの（心象と呼びます）をそのまま他の人に伝えられるならば、私たちのコミュニケーションには何の苦労もないでしょう。しかし、脳には直結のためのプラグはありません。そのせいで私たちはひどく込み入った作業を強いられています。

たとえば、自分が何かしら伝えたい心象を持っているとして、それを大きな構築物だとイメージしてみましょう。その大きな構築物は、言葉一つでは表現できません。この本がそうであるように、一行一行コツコツと書き表していく必要があります。言い換えれば、自分が持つ心象は少しずつしか文章にできません。しかも、そうして書かれた文章を、今度は読み手が一行一行読んでいくことで、書かれた内容を頭の中に構築していきます。たいへん手間のかかる作業です。

また、手間がかかるだけではなく、解体者と構築者が別の主体である点がより困難さを増幅させます。大きな構築物を書き手の脳内にいる大工が解体して文章にし、解体された文章を読み手の脳内にいる大工が構築するのです。データ処理にはエンコードとデコードという概念がありますが、その二つがまるで違った処理系で行われているのが「書くと読む」なのです。そう考えると、きわめてアクロバティックな綱渡りが行われていることがわかるでしょう。もし、今私が書いている文章が、あなたの頭の中できちんと組み立てられているならば、ほとんど奇跡のような出来事がそこに生じています。まさしくテレパシーなのです。

コラム 他人性の違い

現在の自分と未来の自分は異なる存在（≒他人）だと言えますが、それでもエンコードとデコードの規格はかなり似ているので情報の再構築はやりやすいと言えます。一方で、本当に他人となると規格が異なっているだけでなく、どう異なっているのかも事前にはわかりません。さらに他の文化圏や他の時代の人となると、もはや違いすぎて異星人くらいの距離があります。にもかかわらず、古代人が書いた文章が「わかる」ことがあるのが、人間の面白いところです。

No.
Date

読者のことを考える

もちろん、奇跡の可能性を上げる方法はあります。文章の書き方に関するノウハウはいくらでも見つけられますし、それらのノウハウは時間が経っても変質しません。たとえば「重文を使わず、できるだけ短くシンプルな文を書きましょう」というアドバイスが、「たくさん重文を使い、意味を取るのに時間がかかる文を書きましょう」となることはないでしょう。情報を受けとる存在が人間であり、人間の生物学的な特徴は百年や二百年では大きく変わりようがないので、文章の書き方に関するノウハウもまた古典的な方法が通用します。

そうしたノウハウで一番有用性が高いものが〈読者のことを考える〉です。『数学文章作法』シリーズで著者の結城浩さんが紹介しているこの原則は、すこぶる応用が利き、基礎的とすら言えます。むしろ、ほとんどのノウハウは、この原則からの応用や発展であると言っても過言ではありません。それくらいに大切な原則です。

とは言え、〈読者のことを考える〉なんて、あたり前かつ簡単であると思われるかもしれません。しかしそうではないのです。

大工のたとえに戻ってみましょう。私たちの脳内にいる解体者としての大工は、後から組み立てやすいように解体を進めていきます。そのための思考が、〈読者のことを考える〉ではないのです。なぜなら、そこで行っているのは、解体者としての大工自身が組み立て直す状況のイメージだけだからです。もちろん、そうしたイメージも大切ではあります。文章を読みやすくするための推敲は、そうした大工のイメージに沿って行われます。しかし、それだけでは十分ではありません。なぜなら、先ほども書いたように、書いた文章を読んで組み立てていくのはその大工とは別の大工だからです。

つまり、〈読者のことを考える〉とは、読者の頭の中でがんばって組み立てようとしている大工のことをイメージする知的作用なのです。もちろん、その大工がよい人であるとか、年収がどれくらいであるかを想像するわけではありません。その大工がどんな仕事の仕方をするのかを想像するのです。彼・彼女がどんな技法や手法を用いて組み立てようとするのか、どれくらいやる気があって、どんな道具を揃えていて、どれくらいタフなのかを想像するのです。自分以外の大工の「仕事っぷり」を想像するのです。

そうです。そこでできるのは想像だけです。なんといっても大工Aと大工Bは別の脳内に住んでいます。書き手＝解体者である大工Aは、テレパシーを働かせて大工Bの情報処理を想像するしかありません。自分以外の大工が、どんな風に組み立てていくのかを必死にイメージするのです。

不完全なイメージ

以上のたとえ話には大切な事柄が二つ含まれています。一つは、〈読者のことを考える〉ためには、一度自分の外に出なければならない点です。解体者の大工が、自分の組み立て方だけを考えているならば、読者のことを考えているとは言えません。自分とは違う組み立て方に思いを馳せてこそ、〈読者のことを考える〉が達成できます。

もう一つ大切なことは、どこまで突き詰めても、どんなに必死に読む人のことを考えても、そのすべてを理解できるわけではない点です。イメージはイメージでしかなく、テレパシーに正解かどうかのランプが灯ることはありません。絶対的に不完全な部分や、不可視の部分が残ります。

読者のことをどれだけ考えても、読者のことを完璧に理解することはできません。そこには常に誤解の可能性が残ります。文章を書くことの難しさと、面白さはおそらくこうした要素に含まれているのでしょう。自分の想定が常に超えられる可能性があるのです。

ともかく、「他の人にわかるように書く」場合には、〈読者のことを考える〉必要があり、そのためには解体する大工と組み立てる大工の距離が重要になってきます。その距離が近ければ近いほど、イメージの近似度は上がり、自分が書いた文章が他の人にもわかる可能性が増えます。つまり、多くの知識を共有していたり、価値観や考え方が似通っている場合は、自分のことを考えているだけで、それなりに他の人にもわかる文章になるのです。一方、その距離が遠くなればなるほど、大工は想像と創造の力を発揮させなければなりません。そして、どれだけ頑張ってもうまく伝わらない可能性も増えていきます。

そう考えると、「他の人にわかるように書く」ことも、一番遠い距離からはじめるのではなく、できるだけ近い距離の人向けからスタートし、そこから段階的に距離を広げていくアプローチがよさそうです。

共有ノートからはじめる

最初のとっかかりとしては、共有ノートがよいでしょう。共有ノートとは、チーム・組織・共同体など、同一の目的を持った活動する人たちに向けて情報を提供するツールのことです。難しい表現を使っていますが、居間のカレンダーに家族のスケジュールを書きつけておき、全員にそのスケジュールを共有するような気軽なものを思い浮かべてくだされば結構です。ある集団の中にいる人たち、つまり、会社の同僚や趣味の仲間、そして家族といった人たちは、「自分」ではないので「他の人」ではありますが、同じ集団に属している点において距離感は近いものです。大工に求められる想像力も、それほど大きいものにはなりません。最初のステップとしては悪くないでしょう。

技法40 身近なグループの共有ノートからはじめる

では、どのような情報を共有ノートに書けばよいのでしょうか。これも難しく考える必要はありません。企業では、マニュアルやドキュメントを用いて情報・知識の整備が行われていますが、共有ノートはそこまで形式張ったものではありません。単に、その場に参加する人たちが知っておくとよい情報を集めたもの、くらいの感覚で実施する方がうまくいきます。

そもそも「自分のノート」自体が、何を書いてもよいものでした。「こういうことを書くべきである」という押しつけられるルールがなく、自分の求める情報を自由に記録していけるのがノートのよさです。ですので共有ノートであっても何を書いても構いません。最低限のルールを先に決めておくと混乱は減らせますが、かといって杓子定規にガチガチにルールを決めてしまうと、いかにも縛られている感じがしてきますし、書き込むことも楽しくなくなるでしょう。これは危険なことです。なぜなら、こうした共有ノートも継続的な記入によって力を発揮するからです。行為に楽しさがなくなり、苦痛でいっぱいになるなら継続はきわめて難しくなります。

面倒さや手間をゼロにはできないにせよ、不要なルールや制約を設けて、自分で苦しみを増やす必要はありません。最初にある程度の枠組みを決めたら、あとは自由に書き、フレキシブルに運用を変えていきましょう。つまり、細かいルールを決めないことが、継続のための一つの技法だと言えます。

技法41 運用ルールは緩くする

とは言え、「まったく自由にやりましょう」というのではとはじめにくいでしょうから、いくつか私の実際例を紹介しておきます。続く例の通りに実践する必要はまるでなく、あくまで「自分だったら、こういう利用方法があるかもしれないな」と考えるためのヒントとしてください。

連絡ノート

私は二十代にコンビニの店長をやっていたのですが、その仕事の一番の肝は「情報共有」でした。24時間365日営業するコンビニでは、全スタッフが一堂に集うことがありません（集っている間も、お店を開けておく必要があるからです）。よくある「皆で集まって会議をして、そこで情報共有をする」が実行できないわけです。現在ならLINEなどのチャットサービスを使うことで瞬時の全体共有も気楽にできるでしょうが、当時は大学生以外にそうした情報環境を期待するのも難しいものでした。よって、お店の運営に関する大切な情報を、いかに全スタッフに周知するかが店長の腕の見せ所だったわけです。

No.
Date

　ここで役立つのもノートです。事務所のパソコンを操作すれば誰であっても本部からの情報にアクセスできますが、たくさん送られてくる情報のどれが重要なのかの判断は難しく、だいたいそのままスルーされる結果になりがちです。そこで、特別に重要なことだけを大学ノートに記入しておき、スタッフの出勤時に目を通してもらうことにしていました。ともかくそのノートさえ読んでおけば、最低限必要な情報がわかる体制を整えていたわけです。もちろん、そのノートは店長以外のスタッフも自由に書き込めるので、連絡帳としても機能します。

　それだけではありません。本部からの連絡であればパソコンを見てもらうかその内容をプリントアウトして壁に貼っておけばよいのですが、そうしたトップダウンの情報だけで現場が回るわけではありません。むしろ、そのお店にとって大切なのはボトムアップで上がってくる情報です。お客様がこんな商品を欲しがっていた、近くで大きなイベントが開催されるらしい、小学生が集団で同じお菓子を買っていた……、こうした情報はパソコンで販売データを確認しているだけでは見えてきません。そして、それらの情報はマニュアルにもドキュメントにも載りません。よって、皆が自由かつ気楽に書き込める仕組みを作っておかないと、拾い上げられないのです。

アナログの共有ノートは、その意味で最適なツールと言えます。アナログノートなら、（ITツールの熟練度に関係なく）コンビニに勤務する誰でもが記入できますし、データベースのように細かい入力の形式が決まっていないので、気がついたことならなんでも書き込めます。むしろ、そのような自由さがないと、ボトムアップで情報を集めるのは難しいでしょう。

デジタルツールを使う場合であっても、あまりフォーマットにはこだわらず、むしろラフに書いていける環境を整えることが大切です。

技法42 ボトムアップは自由に書けるようにする

失敗ノート

ノートはお客様への対応でも活躍しました。たとえばクレーム対応です。

仮にスタッフが三十人いるとして、それぞれのスタッフは個人個人でミスをし、そのミスのうちの何割かがクレームの発生につながります。人間なのですからミスをするのは仕方がないとして、それぞれが個別にミスをしているので、同じようなミスが頻発してしまうことがあります。たとえば、新しくはじまったサービスに間違えやすい処理があると、スタッフAさんもスタッフBさんもスタッフCさんも同じミスをしてしまうのです。そして、クレーム処理の最終地点である店長の私は、同じような対処をそのたびごとに行うことになります。正直に言って、心躍る仕事ではありません。ゼロにはできないにせよ、できるだけその頻度は下げたいものです。

もちろん、本部から送られてくるマニュアルには「正しい手順」が示されているのですが、ミスしたときにどのようにお客様に対応したらいいのかまでは示されていません（「正しい手順」に正しく沿えばミスは生まれない、という前提があるからでしょう）。ですので、マニュアルがあるだけでは例外的な事態には対応できません。そうしたとき、「失敗」を集めたノートがあれば劇的に状況が改善します。

やり方は連絡ノートと似ています。お客様からの苦情の申し出を受けたときに、どのようなミスをして、それにどう対処したのかをノートに書いておくのです。併せて、どのような原因でミスが生まれたのかも分析しておきます。

ただそれだけの仕組みなのですが、このノートによって体験の共有が可能となりました。

今まではバラバラに散らばっていた一人ひとりの体験が、全スタッフの知見へと変身したのです。たとえば「あのサービスでは、この処理でミスが起こりやすい」という情報を知っているだけでも取り組みへの意識は変わってきますし、万が一ミスが起きてもどんな対処が可能なのかがわかります。「正しい手順」しか教えていない状況ではまず生まれない体験の共有が発生したわけです。

こうした失敗のノートは、店長が自分で書いてもいいですし、各時間帯のスタッフに記述を任せることもできます。それを任された人にとっては、はじめての「他の人に向けて書くノート」になるかもしれません。

技法43 個人の体験を共有するノートを作る

虎の巻としての共有ノート

別の共有ノートとしては、ＰＯＰノートがあります。ＰＯＰ（Point of Purchase）とは、売り場に掲示されている小さい広告のことで、本部が送ってくるものもあれば、お店で手作りするものもあります。コンビニでは毎週新商品が発売されるので、それぞれの売り場担当のスタッフに、一推し商品のPOPを作ってもらっていました。そうしたPOPは、それぞれのスタッフの個性が出ており、売り場を盛り上げてくれる大切な販促物となります。

店長の私の仕事は、そうして作ってもらったPOPをデジカメで撮影しておき、その画像をまとめてプリントアウトしてファイルに綴じることです。そのファイル群がPOPノートになります。

POPノートを作ることで、全スタッフがPOP作成のヒントを得られるようになるだけでなく、新しく入ってきたスタッフも「POPの歴史」を閲覧できるようになります。その知見を活用して新しいPOPが作成され、その成果物もまたPOPノートに加えられていくのです。

とは言え、それぞれのスタッフがやっていることは大それた行為ではありません。過去のPOPを参考にしながら、毎週一つのPOPを作成していくだけです。しかし、それがノートに綴られていくと、全売り場のPOPが集約され、しかもそれが時系列で積み重なっていきます。データとして（あるいはヒストリーとして）残っていくのです。

逆に考えてみてください。仮にPOPノートを作っていなかったらどうなったでしょうか。たとえばPOP作りがうまいスタッフがいて、自分の担当の売り場をすごく盛り上げてくれたとしても、そのスタッフが辞めてしまえば売り場は元に戻ります。いわば「その場限りの成果」になってしまうのです。そのスタッフが持っていた技術や工夫は当人の中に留まり、誰かに引き継がれることはありません。逆にノートに記録しておけば、そのノートが「秘伝のタレ」になっていきます。その中に、さまざまな技術や工夫が吸い込まれていくのです。そうしたノートの有無は、店舗運営において少なからぬ違いを生みだしていきます。

技法44 技術と工夫を蓄える「秘伝のタレ」を作る

暗黙知を引きだす

同様の考え方は、組織内の知識活用として研究されています。ナレッジマネジメントと呼ばれる分野です。そのナレッジマネジメントにおいて、ノートの活躍が期待できるのが「暗黙知」から「形式知」への変換です。一見難しそうな話に思えますが、そこまで大げさなものではありません。

まず、人はたくさんの知識を持っているがそのすべては意識されてはおらず、言語化されているわけでもない、という理解がスタートです。そのような意識されていない知識の形態を暗黙知と呼びます。対する形式知は記述される知識であり、言い換えれば他の人に伝達可能な形になっている知識です。

組織内の知識を活用していきたいなら、組織内に知識がたくさんあっても、それが暗黙知の状態では不十分なので、できるだけそれを形式知に変えていきましょう、というのが「暗黙知」から「形式知」への変換が意味するところです。

そうした変換のための方法論ではSECIモデルが有名ですが、そこまで堅苦しい話を持ち出さなくても、共有ノートを使った簡単な方法があります。それが「質問されたことをノートに書く」です。

たとえば、誰かから「これってどうやるんですか?」と聞かれたとき、「それはね、こうするんです」と頭を使いながら答えるでしょう。まさにその瞬間に暗黙知が意識され、言語化が行われています。そのまま答えて終わりにするならば、その暗黙知は再び無意識の領域に消えていきますが、共有ノートに書き残しておけば、それも「他の人にわかるように」書き残しておけば、その暗黙知は形式知へと変換されます。実に単純な変換のステップです。

そうしたノートがあれば、似たようなことを聞きたい人はわざわざ質問しなくてもノートを参照すれば答えがわかるようになります。情報の伝達効率が上がるわけです。答える方も、以前答えたことがある質問であれば「ノートに書いてあるから、それを読んでみて」と詳しい説明の繰り返しを避けられます。これも効率的です。

しかし、効率性以上に重要なのが、「質問に答えようとする中で、形式知化が発生している」点です。一見すると、単に頭の中の情報をノートに書き写しているだけのように思えますが、他の人でもわかるように書こうとするとき、頭の中の大工が働きはじめ、適切な順番でそれを配置しようとしはじめます。これが質問に答える人自身の理解を深めることにつながるのです。

当然、逆側からの共有ノートの書き方もあります。自分が他の誰かに質問したときに、答えてもらった情報を共有ノートに書いておくのです。もちろん、答える人が直接共有ノートに書き込んでくれれば自分が書く手間は省けますが、質問した上に書く手間まで押しつけるのは要求しすぎでしょう。また、教えてもらったことを自分で文章化することは、自分が理解できているかどうかを確かめる効果も期待できます。面倒さは悪いことばかりではありません。手間を惜しまずに書いてみましょう。

技法45 質問とその答えをノートに書き集める

ウェブに書く

ここまで書いてきたような共有ノートに慣れてきたら、さらに広い人向けにチャレンジしてみましょう。具体的にはウェブにコンテンツを投稿するのです。

もしかしたら話が急に大きくなったように感じられるかもしれません。しかし、ウェブにコンテンツを投稿したところで、その大半はほとんど誰の目にも止まりません。ごく稀(まれ)に幸運な出会いで数十人に読まれ、さらに運が良ければ数百人に読まれる程度です。インターネットを利用している総人口から考えれば、雀の涙にも及ばないでしょう。

あえてウケそうな内容を書いたり、そのとき話題のネタについて過激な発言をすれば(炎上狙いと言います)、当然人目にはつきますし、人目につくものを私たちは目にしているので「インターネットに書くとたくさんの人の目に留まる」と思いがちですが、それはバイアスと呼ばれる私たちの推論の誤りであり、実際はほとんど誰にも読まれていないコンテンツがウェブの大半を占めています。
ですので、ウェブにコンテンツを投稿する場合でも、必要以上に緊張することなく、共有ノートよりは「少し広い」くらいの気持ちで大丈夫です。また、一匹狼気質でグループに所属するのが苦手な人であれば、いきなりウェブに投稿してみるのも悪くありません。

どちらの場合であっても、ウェブへの投稿には二つの方向が考えられます。ウィキペディアを含む各種Ｗｉｋｉに書き込む方向と、自分のブログに書く方向です。前者はこれまで書いてきた共有ノートに近い性質があるので、ここでは「自分のブログ」に限って話を進めましょう。

もちろん、ここでも細々したルールは不要です。ノートがさまざまに書けるように、自分のブログもさまざまに書けます。むしろ、さまざまに書けることがブログの最大のメリットだと言えます。誰の命令もなく、マニュアルもない自由なメディアの感覚がそこにはあるのです。ですので「ブログはこう書け」などと大上段に一般論を論じることはせず、私の体験をベースに話を進めていきましょう。これもまた「正しいやり方」としてではなく、自分で考えるためのヒントとして利用してください。

自分のブログがどう役立つか

私は十年以上ブログを続けており、その中でさまざまなことを書いてきました。エッセイや雑文も多いですが、技術系やノウハウの話もたくさんあります。

そうした中、何かの手順を忘れてしまい、Ｇｏｏｇｌｅで検索した結果のトップに表示された記事が、過去の自分が書いた記事だったとき、実に不思議な気分になります。他の人に役立つかもしれないと思って書いた記事が、巡り巡って未来の自分の役に立ったからです。逆に、他の人は必要としないだろうけれども自分の備忘録として書いた記事が、「役に立ちました」と後から他の人に言ってもらえることもあります。これもまた不思議な経験です。

ブログは、他人が読むかもしれないという前提で書く「自分のノート」です。それを書いておくことで、第一に自分のノートとして役立ちます。過去の経験を自分が想起できるからです。その点はこれまでの章で何度も確認してきました。

第二に、そのノートが他の人にも役立つことがあります。職場の共有ノートと同じように、たまたま自分と目的を同じくする人のもとに、その情報が役立つ形で届くのです。つまり、「自分のブログ」を書くことは、自分のためでもあり、他人のためでもある、という不思議な重なり合いを持ちます。

そうした自他の越境が起こるだけでなく、一人で日記や日誌を書いているだけでは得られなかったフィードバックがもらえたりもします。たとえば「この箇所の説明はよくわからなかったです」といった指摘や、「新しい機能が追加されていますよ」といった追加情報、「私もそう思います」のような共感が返ってくるのです。

特に記述に関する指摘は重要で、そうしたフィードバックをもらえることで、私の頭の中の大工が育っていきます。「そうか、こういう書き方だとわかりにくいのだな」と理解できるのです。書くこと＝読むことがテレパシーである以上、書いたことがまったく違って解釈されていてもその事実が把握されることはありません。つまり、フィードバックが発生しないのです。逆に言えば、フィードバックがあってこそ、「他の人に分かる書き方」が上達していきます。

さらに、「自分のノート」をウェブに投稿すると、まったく同じ情報に相反する感想をもらうこともあります。片方ではすごくよかったといわれ、もう片方ではすごくダメだったと言われるのです。思わず「どっちやねん」とつっこみたくなりますが、物事の価値を計る物差しが一つではないことがよくわかる体験です。

同様に、自分で渾身の力作だと思ったものが綺麗にスルーされたり、逆に単に勢いで書いたものが大きな評価を得たりするなど、自分が絶対的だと思っている評価軸がそこまで絶対的なものではない感覚も味わえます。これらもまた、一人でノートを書いているだけでは得られないフィードバックでしょう。

技法46「自分のノート」をウェブに置く

自分のためのノートを書く

このように「自分のノート」をウェブに置いておくことの価値は大きく、機密事項に触れない限りはすべてウェブに投稿したくなるのですが、もちろんよいことばかりではありません。いくつかのトラップがあります。

第一に、他人に評価されることが嬉しくなり、それを主目的にしてしまうと、「自分のノート」ではなくなってしまう問題があります。たしかにそれで人気は集まるでしょうが、後になって自分がそのノートを書いたことを嬉しく思えるかというとかなり怪しいものです。他人から評価を得ることで生計を立てていけるレベルならばともかくとして、そうでなければあくまで「自分ノート」や共有ノートの延長線上にとどめておくのがよいでしょう。

また、他人が読むことを意識するあまり、「こういうことは書かない方がよいのではないか」という気持ちが強くなる問題もあります。その気持ちは配慮の行き届いたコンテンツを生み出すのに役立ちますが、一人の日記ならば存分に吐露できていた思いが書き出せなくなるのはよいことではありません。他の人と共有するためのノートを持ちつつ、しかし「自分だけのノート」も確保しておくのが、インターネット社会である現代の一つのコツになるでしょう。

技法47「自分のノート」と「自分だけのノート」を持つ

総じて言えば、自分しか読まないものであっても、他人が読むものであっても、ベースは「自分のための記録」としてノートを書くのがよさそうです。人気取りのために書くノートは瞬間的な価値しか持ちませんし、未来の自分の役に立つこともありません。そうした記録を長期的に続けていくのはかなり難しいものです。

逆に、「自分のための記録」として書き残せば、「自分と似たような立場の人」に素晴らしく役立つノートが生まれます。記録との好ましい関係は、そうしたものでしょう。

あくまで自分のために書き、それを「他の人がわかるように」書くことで利用可能性を高め、そこからフィードバックをもらって、自分のノートの「書き方」を成長させていく。それがノート（記録）との現代的な付き合い方です。

そして、本にも同じようなことが言えます。

本を書くのに資格はいらない

本を書くことも、ノートを書くことです。前章で確認したように、他の誰かが書いた本は、「自分のノート」として使えます。そして、その本は、著者にとってのノートでもあります。自分の考えを他の人に共有するためのノートなのです。

だからこそ、「自分のノート」を書くように本を書くことができます。他の人に向けてウェブに自分のノートを公開した経験を持つならば、「本を書く」までの距離はあと数歩しか空いていません。あとはその数歩分の隙間を「えいや」と飛び越えられるかどうかです。

「いやいやそんな、自分なんて本を書くような人間ではない」

そんな風に思われたでしょうか。2010年の3月31日までの私も同じように感じていました。今はこうして執筆業を生業としていますが、はじめからそれを目指していたわけではありません。それに、そもそもそんなことが可能であるとも考えていませんでした。ただブログに自分のノウハウを綴っていただけです。

しかし、たまたまそのブログが出版社さんの目に留まり、そこから一冊目の本を出版し、——そこからいろいろあって——執筆業に転身することになりました。実に不思議な感覚です。私の想像力よりも、人生の可能性の方が広いのです。

出版の依頼メールを頂いた2010年の4月1日を境に、私が特別な人間になったわけではありません。偉くなったわけでも、知的に覚醒したわけでもありません。ただの一市民として生活していただけです。そんな人間にだって本が書けるのだとすれば、たとえ潜在的であれ誰にだって本は書けるのだと思えてきます。

本を書くことは多くの人に開かれており、そのための資格は存在しません。誰かから「本を書きませんか」とオファーをもらえれば（そしてそれに合意すれば）、その瞬間から本を書きはじめることができます。

現代では、インターネットのおかげでそうしたオファーを待つ必要すらありません。自分で電子書籍を作り、多くの人に手に取ってもらえる場所にその本を提出できます。

もちろん、ウェブページと同じように可能性として多くの人に読まれることと、実際にたくさんの人に読まれることには大きな違いがあります。実際に作ってみたら、百部や五十部程度しか読まれず、職場の同僚の方が数が多かったということもあるでしょう。それでも、そうして手に取ってくれた人たちは顔見知りではありません。「自分」の外にいる人たちです。そうした人たちに向けて「本」を届けられる環境が現代では整っています。

No.

Date

コラム　外に届けるために本を書く

現在、古典として読まれている本も、自費出版（著者自らが費用を負担した本）で作られたものが少なくありません。出版業はビジネスであり、たくさん売れる結果を残すのも大切ですが、それとは別に、自分がこの本を書いたことによってはじめて届いた情報がある、という結果を作れるのも素晴らしい体験です。もしあなたが多くの本を読み、そうした本たちから影響を受けているならばなおさらでしょう。

さいわい電子書籍による自己出版の場合、ほとんどお金がかからないばかりか無料で出版できる場合がほとんどです（手数料が売上げから差し引かれるようになっているので、初期投資はたいてい不要です）。だから、「これで一発儲けよう」という気持ちではなく、普通に生きていてはまず顔を合わせることがない外側の人に向けて、「自分のノート」を広く利用してもらおう、という気持ちで臨むのがよいでしょう。

最高の勉強法としての執筆

本の作り方や公開の仕方にはさまざまなアプローチがありますが、それでも一冊の本に内容をまとめる行為には共通する感覚があります。自分の中の知識がまとまり、整理され、一つ上の階層に上っていくような感覚です。一昔前であれば、そうした感覚を得られる人は限られていました。しかし現代では、多くの市民に開かれています。やろうと思いさえすれば、それを妨げるものは何もありません。

私たちは、ノートを書くように本を書くことができる時代に生きています。言い換えれば、私たちは「自分のノート」をいつだって「本」に変身させられる時代に生きているのです。

ですので、たいへん素晴らしいことです。

もしあることについてまとまった知識が欲しい、体系的に理解したいと強く願うならば、その内容について「本」を書くことを最終的な目標に加えてみてください。何かを学ぶプロセスの中に、「本を書く」を位置づけるのです。

もちろん、本を書くことは簡単な行為ではありませんが、簡単な行為では学べないのが私たちの脳です。脳は何を記憶して、何を忘れるのかを、私たちの意志とは関係なしに判断します。そうしたフィルタリングは「考える」でもなく、さらに言えば「思う」ですらありません。その前段階で行われる情報処理です。その処理そのものに、私たちの意識は介入できません。気がついたときには、もうそれは終わっているのです。

だからこそ、勉強するときは何度もその文字を書くのです。そうすることで、脳に「あっ、この情報とは何度も遭遇しているぞ。もしかして重要なのかもしれない」と判断させるのです。暗記法とは、そうした脳のハッキング行為だと捉えられます。

ともかく、手間をかけ、時間をかけ、知的作用を及ぼすからこそ、覚え、理解できるようになります。そして、本を書くことは、「一番手間をかける勉強法」です。最高難度の

「ノート作り」なのです。

技法48 勉強するために本を書く

そのようにして何かを学ぶ活動は、一つひとつは小さい行為であるように思えますが、その感覚は錯覚でしかありません。私たちは何か一つを学ぶたびに、脳の情報処理全体を強化・変化させています。それを実感したければ、あえて不慣れな本を読んでみるとよいでしょう。はじめての読書では遅々として進まないはずですが、一度入門書を読み、基礎知識を学んだ後に読み返してみると爆発的に読書の速度がアップし、「わかる」度合いも深まっていることが体感できるでしょう。たしかに何かが積み上がっているのです。

階段を一段上ってから、次の一段を上るとき、私たちが上げる足の高さは前回と同じですが、私たちが到着する場所の高さは、加算的に増えています。それが記憶・記録として残ることの価値であり、私たちが人類として文明を築いてきた道のりでもあります。

巨人の肩に乗る

偉大な科学者アイザック・ニュートンは、自らの功績を讃えられたとき、「私がかなたを見渡せたのだとしたら、それは巨人の肩の上に乗っていたからです」と答えたそうです。自分の成果が、自分ひとりの努力だけで達成されたわけではないことを彼は強調したのでしょう。そして実際、記録と科学の歩みが描くアウトラインはまさに巨人の姿をしています。誰かが何かを考え、研究し、書き残したものを他の誰かが考え、研究し、書き残したものを他の誰かが考え、……と再帰的に繰り返される知的な探究は、ひとりの人間では絶対に為し得ない成果を積み上げます。優劣は抜きにして、地球上の生物で、ただ人間だけが行ってきた活動がそこにはあります。

ここでの「巨人」は、人類叡知（えいち）の集合を示すメタファーであり、その肩に乗ることは、自分も巨人の一部になる（自分の知も集合に含まれる）ことを暗示しています。巨人は、自分にとって他者でありながら（だからこそ肩に乗れるのです）、一方でそれは同一化する対象でもあるのです。ここでもまた境界線が揺らいでいます。

ノートを書くことは、片方では徹底的に個人的な活動であり、しかしもう片方では「人類」という大きな営みに自分を滑り込ませる活動でもあります。そこには対立はありません。個がありながらも、集合が立ち上がるのです。

まとめ

この章では、これまで自分のために書いてきたノートを、他の人に向けても書く行為について紹介しました。単に他の人のために書くのではなく、自分のためのノートを他の人も利用できるように書くことが一番のポイントです。

そうしたノートを書くことの意義は、大きく二つあります。一つは、自分ひとりで書いていたのでは得られなかったさまざまな質と量のフィードバックが得られることです。自分が書いたものを読んでもらうことで、「これはどういう意味ですか?」「具体的にはどういうことですか?」と訊いてもらえることがあります。その質問に答えることで、自分の中にある知識が自覚されたり（知識の顕在化）、あるいは自分の理解の足りなさが自覚されたりします（無知の知）。自分だけでは得られなかったフィードバックが得られるのです。言い換えれば、「自分」の領域から一歩抜け出せるのです。

ノートを書くことのもう一つの意義は、情報が自分の射程を超えていくことです。自分がどれだけ情報を蓄えていても、それを世界中の人に話して回ることはできません。せいぜい自分が直接顔をあわせられる人に限られます。しかし、ノートを使えば、その範囲を大きく広げられます。自分という肉体がロストし、その精神を定着させるものがなくなったとしても、ノートに記録された情報はそこに残り続けます。自分の人生の長さを超える寿命を、その情報が獲得するのです。

DNAがそうであるように、情報は世代を超えて受け継がれていきます。言い換えれば、「自分」という存在をより大きな階層の中に位置づけられるのです。これもまた「自分」からの脱出だと言えるでしょう。

前章までで紹介してきた「自分のノート」は、瞬間的な「自分」から抜け出して、全体的な「自分」として情報を利用し、思考を進めるためのツールだったわけですが、それを他の人に差し出すことで、情報（＝自分）を位置づけられる全体像がもう一段大きくなります。

もちろん、そうした行為をすべての人間が必ず行わなければならないわけではありません。しかし、せっかくノートを使い、「今の自分」から逸脱できるようになったのですから、そこから先の世界を想像・創造してみてもいいでしょう。

そうなのです。ノートは「今の自分」から抜け出し、未来をつくりだすためのツールです。記録という贈り物を未来に贈るための装置でもあるのです。

No.

Date

No.

Date

第7章

未来のために書く

ビジョンのノート

No.

Date

“未来を予測する最善の方法は、
それを発明することだ”

— アラン・ケイ

“デリダに言わせれば、
手紙は「届かないかもしれない」”

—『存在論的、郵便的』
（東浩紀）

No.

Date

未来とノート

本章では未来とノートについて検討します。未来を「つくる」上で、いかにノートは役立つのか。それについて考えていきましょう。ヒントは「直接でないこと」にあります。

そもそも私たちはいかにして未来を「つくる」のでしょうか。その行為は、一方でとても難しく、もう一方ではひどく簡単です。難しいのは、「未来」は一つの状態であり、具体的な物ではないので直接作成できない点です。たとえタイムマシンがあったとしても、将来のある時点に行き、「未来」を作って帰ってくることはできません。実際はタイムマシンすらないわけですから、私たちは直接未来を「つくる」ことはできません。

一方で、何もしなくても私たちは一分一秒ごとに未来を手にしています。時間が過ぎれば、何も為さなくても未来はやってきます。直接的な行為すら不要です。むしろ、「今」を生きることそのものが未来を「つくる」ための手段であるとすら言えます。

そのように考えると、多くの人が望むのは単に未来を「つくる」ことではなく、自分にとって好ましい未来や、自分が求める未来を手にすることでしょう。

では、そうした未来はいかにして摑めるのでしょうか。

ビジョン方式の不完全さ

望む未来を手にするための有名なアプローチと言えば「ビジョンを描く」です。「ビジョン」の部分には夢や大志といった別の言葉が入る場合もありますが、何であれ達成したい大きな目標を定め、そのために必要な行動を明らかにし、日々精進を続けることで、目指す地点へとたどり着くというアプローチは、自己啓発書でもお馴染みです。簡単に言えば、「準備・実行・後始末」の管理手法を、より長期的で大きな目標にも適用するのがこの「ビジョンを描く」方式です。

毎日の行動管理や中規模のプロジェクト運営が「準備・実行・後始末」でうまくいくならば、より大きな目標の達成も同じ手法でいけるような気がします。しかし、それは本当なのでしょうか。短いスパンでうまくいったものが、そのまま長いスパンに適用しても効果を発揮する保証はどこにもありません。特に懸念されるのは、遠い未来の予測性の低さです。明日の天気がわかるからといって、一年後の天気が同じ精度でわかるとは限りません。期間が長くなればなるほど、目標が大きくなればなるほど、関わる人の数は増え、カオスのような様相を呈してきます。少なくとも、「夕方から本を読む」といった個人で完結しうる「目標」とはまったく違った複雑さを持つことはたしかでしょう。２０２０年のコロナ禍を予測できた人など誰もいない、という事実からも未来予測の難しさの一端がうかがえます。

さて、未来が正確に予測できないのですから、「未来までの道中」を正確に明らかにすることもできません。この時点で、ビジョン方式は破綻します。唯一「一年後の資格試験のために毎日勉強する」のように自分だけに行為が閉じていて、目標地点が動かないものであればビジョン方式でも対応できますが、逆に言えばそうした特殊な状況でない限り、長期的で大きな目標達成のためにビジョン方式は効果を発揮してくれません。

一方で、第2章で紹介したように「手帳に夢を書く」手法は限定的ながら効果を持っています。目標を毎日見返し、必要な行動を動機づけることによって、結果として実際に行動が増えるなら、そうしたことを何一つ行わない状態と比較したときに、目標の達成可能性は上がるでしょう。ビジョン方式が機能しているように見えます。

とはいえ、このアプローチはプログラミングのように行動を直接支配しているわけではない点に注意が必要です。Aの記述をBに書き換えたら、全体の結果がXからYに変わる、のようなダイレクトなものではないのです。よって、各段階の行動が実現するかはいつでも不確定なままです。たとえば、人によっては毎日目標を目にすることで、かえって嫌気を覚えてやる気が殺がれることが起こり得ます。あるいは目標を達成できていない自分に対して苛立ったり、自己否定感が強まったりすることもあります。それでは望む結果を手にするどころか、まったく逆の状態になってしまうでしょう。

つまり、直接行動を支配しないビジョン方式は、うまくいくかもしれませんし、うまくいかないかもしれません。人によって違いが出てきます。では、あなたはどちらのタイプでしょうか。ビジョン方式でうまくいく人でしょうか。それともうまくいかない人でしょうか。あるいは、それとは違った第三のタイプでしょうか。

あなたは、この問いに答えられるでしょうか。

大切な二つのこと

ここまでのお話で、大切なことが二つわかりました。

一つは、未来は直接は作れない、ということです。私たちにできるのは、未来に向かって歩いていく、その道程をデザインすることだけであり、しかもそのデザインすら、毎日目にする手帳に夢を書いてそれを思い出す、のような間接的なアプローチしか取り得ませ

No.

Date

ん。自分で「今から三年間、毎朝十五分は英語の勉強をする」と決めて、将来の時間の使い方を直接固定できたら、目標達成はずいぶんと楽になるでしょうが、それは不可能な話です。

「今」の自分には、明日の自分は直接操作できません。言い換えれば、私たちは常に「今」にいて、そこから間接的に未来に向けてアプローチするしかありません。そして、その「今」の自分もまた、過去の時点の自分が直接操作したものではありません。数多くの過去の積み重ねの上に、たまたまのように生まれ出たのが「今」の自分です。

一つの点をイメージしてください。「今」をあらわす点です。この点を、未来のある時点に突然ワープさせることはできない、というのが「間接的」が意味するものです。「今」の自分にできる行為は、その点から未来方向に向けて「このように進もう」とガイドの線を引くことだけなのです。

しかしその「今」の点もまた、完全に自律しているわけではありません。その点の後ろにも無数の「かつて点だったもの」があり、そこから引かれた線が「今」の点に影響を与えています。「今」の点からすると、そうした影響は望むものではないかもしれませんが

――ある意味で、それは「他人」からの影響なのです――、たとえ望まないものであるにしても、そうした作用があることは否定しようのない事実です。

だからこそ、線の方向を確認することが大切です。もしも、過去から引かれた線と「今」の点から未来に向けて引く線が、同じ方向を向いているなら、力が邪魔し合うことなくスムーズに進んでいけるでしょう。逆に、まるで逆方向を向いていれば、かなり大きな力を新しく加えなければ進むこともままなりません。


どちらの選択をするにせよ、「今」から未来に向けて線を引く際には、過去から引かれた線も加味した方がそのデザインはうまくいきます。

それが二つ目の大切なことです。つまり、自分自

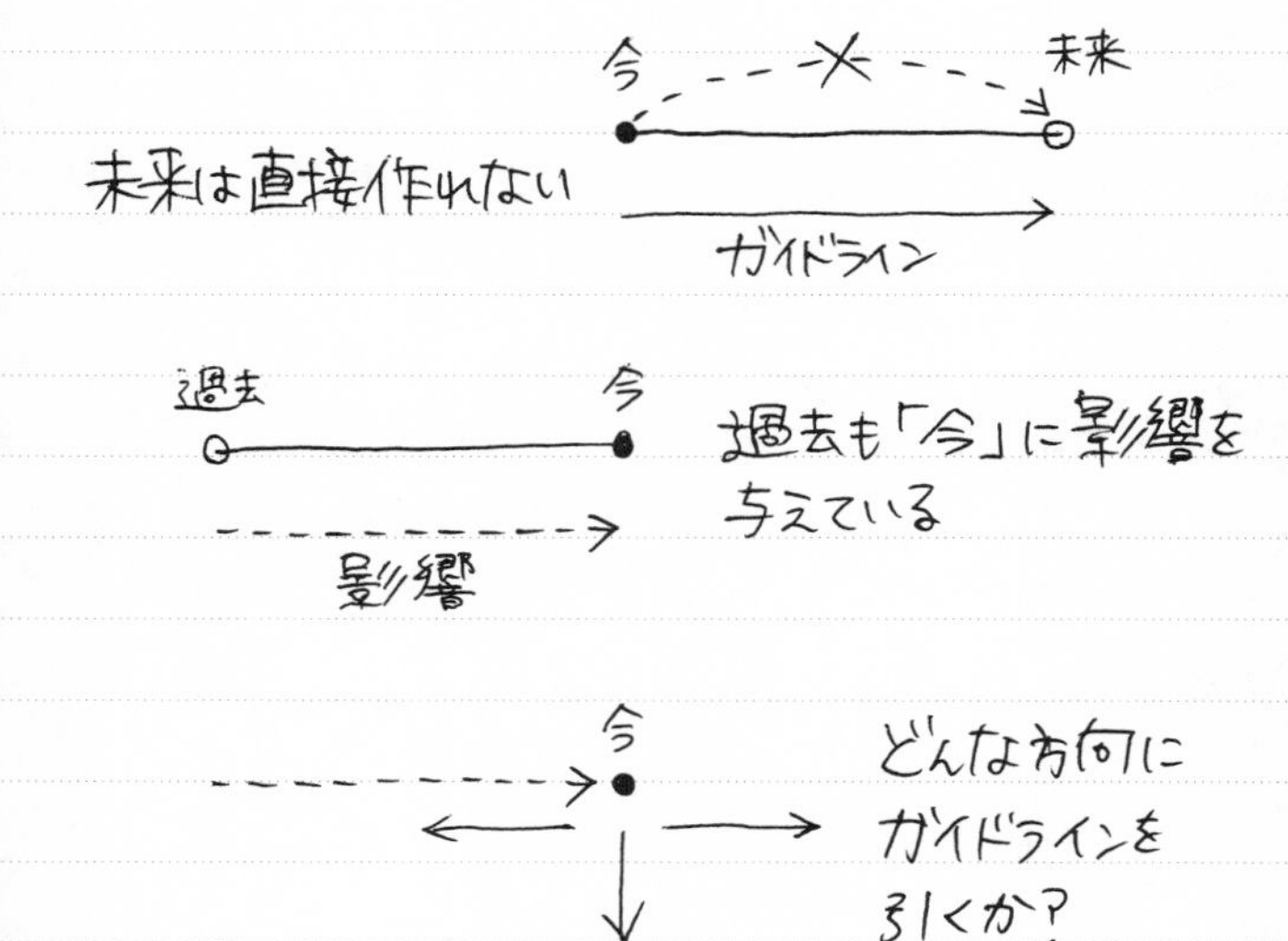

身を知ることです。それが未来を「つくる」ためには欠かせません。先ほど出てきたビジョン方式が自分に合っているかどうかに答えられることも、その「自分自身を知ること」の一部と言えます。むしろ、それに答えられないで、どのようにして方法を選択していけるでしょうか。

自分のことを知らない自分

未来をどのように形作ろうとも、欠かせないのが自分についての理解です。未来が「今」という歩みの積み重ねである以上、自己理解が欠けていては、足場は不安定なままです。それでは歩き続けていくことも難しいでしょう。

問題は、自分は自分のことをよく知っていない点にあります。さらに、「自分は自分のことをよく知っていないこと」すらも知っていません。言い換えれば、そうであると思っている以上に自分のことが理解できていないのです。

なぜそうなるのかといえば、「自分はこうだ」という思い（思い込み）があり、その領域から抜け出ないで生活しているからです。それでは「自分のことは自分がよくわかっている」という思いの間違いには気がつけません。フィードバックが欠落しているのです。

そのことは、普段やらないことに冒険的に挑戦してみたり、自分が決めているマイルールから少し逸脱してみたりするとよくわかります。こんなことは自分には合わないと思っていたことが意外にハマったり、想像もしなかった事柄に興味を持つようになったりと、「ああ、自分にはこういう側面があったのだな」と自分についての理解が深まる体験が得られるでしょう。逆に言えば、そうした冒険や逸脱をする前の自分は、自分について十分にわかっていなかったのです。

コラム 自己理解選手権の勝者

「自分のことは自分が一番よくわかっている」という言説があり、たしかにそれは実感に即していますが、半分正解で半分間違いがよいところです。この世界において自分について一番たくさん情報を持っているのは自分ですが、しかしその自分ですら自分について五割もわかっていない——それが実情でしょう。もちろん、そんな浅い理解でも、たしかに他の人に比べれば「よくわかっている」とは言えるかもしれません。

No.
Date

自分についての情報不足

第5章で紹介した「説明深度の錯覚」を思い出してみてください。わかっていると思っていることと実際にわかっていることの程度には違いがあります。自分についての理解も同じなのです。自分のことはわかっているつもりで、しかし、それは「わかっているつもり」なことが多いのです。そしてそれは、説明しようとするまで自覚されません。では、自分について説明する機会はどれだけあるでしょうか。もしそれがないとすると、私たちは自己理解についての説明深度の錯覚をいかにして自覚できるでしょうか。

同様に、「自分のやりたいことをやりましょう」といったアドバイスもよく見かけますが、そもそも「自分が本当にやりたいと思っていることは何だろうか」と考えはじめると答えに窮することがわかります。いくつか思い浮かぶ「やりたいこと」があるにしても、そのうちのどれが「本当に」やりたいことなのだろうかという自問に答えるのは簡単ではありません。

さらに私たちは、自分の能力も、特性も、スキルも、経験値も、「ウィンドウ」で確認ができません。私たちは、自分に関する圧倒的な情報不足の中で生きているのでした。だからこそ、ノートを書くのです。過去と未来の交易所としてのノートを書くのです。

コラム　偏った自己診断の自画像

自分の性格を診断するコンテンツはいつも一定の人気があります。しかし、その精度はどこまで高いのでしょうか。診断の方式が適切でも、それに回答するのは「今」の自分でしかない以上、どうしてもそこに偏りが生まれます。「今」の自分が知っている情報しか入力できないからです。結果、自己認識を大きく逸脱することはないでしょう。偏光レンズをつけたまま鏡を覗いているのに似ています。

ビッグデータの中に「自分」はいない

現代において、なぜノートを書くのか。その意義を改めて確認する準備が整いました。

私たちは自分のことをよくわかっていません。しかし、これまでの時代はそれでも問題なく生きてこられました。むしろ、自分のことなど考えることなく、与えられた役割を淡々とこなし、いかに大船に乗り続けるかが最強の生存戦略だったのかもしれません。しかし、現代においてそうした大船を見つけるのは、金脈や油田を掘り当てるくらいに難しくなっています。そうなると、自分の得意なことや貢献できることを見つけ出し、どのような方向に進めばよい感触が得られるのかを自分で決めなければなりません。

一方で、近年のＩＴが推進するのは、「自分のことなどわからなくてよい」という方向です。動画サービスなどで、リコメンドが自動的に表示されるのもその一環でしょう。何かを選ぶ際に、自分の好みを考慮する必要はありません。ただリコメンドに従えばよいのです。それで好みにあったコンテンツが提案されます。

ＩＴがもたらすあらゆる「スマート」なものが、同種の傾向を持ちます。それらは大きな手間を削減すると共に、そうした手間をかけることでしか得られなかった自分自身についての知見を隠蔽(いんぺい)し、過去の行動からの逸脱や冒険を抑制します。なにしろビッグデータは、「行動したこと」の結果は記録しますが、そこに立ち現れなかったさまざまな思惟の経路や感情、そしてそこに込められた意志は一つ残らず見落とすのです。「そうであろうとしたこと」や「そうであったかもしれないもの」は、何一つ記録に残りません。しかし、考えてみてください。何度もやろうとして、何度も失敗し、しかしそれでもやろうとする行動があるとするならば、それは自分について何かを明らかにするのではないでしょうか。貪欲なビッグデータは、しかしそうしたものに興味を持ちません。彼らが視線を向け、必死にむさぼり続けるのは立ち現れた行動という結果だけであり、どれだけ情報が集まっても、ビッグデータが「あなたは誰なのか」を知ることはありません。総体としての「自分」はそこにはないのです。

ＩＴのリコメンドだけが問題なのではありません。消費を促す広告と、アクセス稼ぎのために過剰に味つけされたさまざまなコンテンツも問題です。そうしたコンテンツに囲まれ、まるで呼吸をするかのようにその情報を摂取していると、「自分」という存在に注意を向けることはなくなります。何かを思うにしても、常に「今」の自分が中心であり、総体としての「自分」は蚊帳（かや）の外に置き去りにされます。過去がどうであったのか、あるいはこれからの未来をどう設計していくかには注意は向けられず、注目のトピックやトレンドの話題ばかりが頭を占めるのです。むろん、それで自分の理解が深まるわけはありません。

No.
Date

つまり、現代では情報がたくさんあることそのものが問題ではなく、むしろ流れ込んでくるたくさんの情報が私たちの注意を引きつけ、固定してしまうことが問題なのです。そうした状況では、注意深く目を向けていないと見えてこないものは、すべて見落としてしまいます。まるで、自分自身がビッグデータを処理するアルゴリズムになったようなものです。

ノートを書くことは、そうした状況を変えます。自分の注意の矛先（ほこさき）を、変化させられるのです。

注意の防波堤を築く

ノートを書きはじめると、注意の向き方が変わってきます。外側から引っ張られている状態から、内側から伸び出る状態へ変化するのです。書く対象は何であっても構いません。やることでも、旅行の予定でも、読みたい本リストでも、面白かった映画の感想でも、作業計画書でも、内容は問いません。ただ「言われた通りに書き写す」という板書のようなノートでないならば、要件は満たしています。

私たちはそうした自発的なノートを書くとき、無意識であっても情報を選り分け、好ましいように配置しています。自動的なログとは違って、そこに「自分」的なものが入り込むのです。

しかも、そのノートは、現代で濁流のように押し寄せてくる注意を奪うものたち（注意強奪者とでも呼びましょう）からの防波堤としても機能します。あなたが書くノートは、読む前に十五秒の動画を見ることを強要しませんし、文章と文章の間に扇情的な漫画の広告を挟み込むこともありません。通知がうるさく鳴り響き、未確認ならバッジの数字が増えることもありません。そのような注意強奪者から遠く離れて、あなたは「自分」の思いに向き合えるようになります。はるか昔は望まなくてもそうした環境しかありませんでしたが、現代ではむしろ意識的に作らない限りそうした環境は得がたくなっています。静かに考えるための場所が減り、自分について理解するための情報がどんどん得がたくなっているのです。当然、ビジョンを描くことも難しいでしょう。

ノートを使いはじめるとは、そのような環境から一歩身を引くことを意味します。とは言え、完全に離別するわけではありません（そんなことは不便過ぎて続かないでしょう）。便利なITツールに囲まれているにしても、それとは違う理（ことわ）りが働く場所を設けるのです。

それが、現代でノートを書くことの一番の意義です。

コラム　ノウハウという最高の目くらまし

ノウハウを語る本で書くことではないかもしれませんが、最高のノウハウが提供されていると、そのノウハウそのものに注意を向けてしまい、自分に注意を向けることが減ります。自分がどのような性質や傾向を持つ人間であるかを考える代わりに、ノウハウをいかに実践すればいいのかばかりに注意が向くのです。もちろん、それでうまくいくはずはありませんし、うまくいったとしても得るものは小さいでしょう。むしろ、ノウハウの実践と失敗を通して得られる「自分はどのような特性を持った人間であり、どういうやり方ならばうまくいくのか」という理解の方がはるかに自分の人生において汎用性（はんよう）があります。そういう知識を増やしていくことも「自分のノート」の役割の一つです。

ノートの価値は今はわからない

では、ノートをコツコツ書いていけば、いつかは自己実現が叶うのかというと、そういうわけでもありません。総体としての「自分」を確認し、防波堤を築いたとしても、未来を直接「つくれない」ことには変わりありません。だとしたら、ノートを書くことにはどんな意味があるのでしょうか。

それはわかりません。

別にふざけているわけではないのです。「今」書いているノートの価値は、「今」はわからないのです。もう少し言えば、わからないというよりも不確定と言った方が正確でしょうか。ノートを書くことで、たしかに「今」役立つこともありますが、時間が経った後で思いも寄らぬ形で役立つことがあります。本書の第5章と第6章で確認したのは、そうした記録の越境性でした。「〜のために」と書き残したものが、ぜんぜん別のことに役立つことがある——書き留められた情報が持つ可能性とはそのようなものです。今の自分がもやもやしていることを整理するために書いた文章が、三年後の自分が将来の指針を決める際のヒントになる。そんなことがいくらでも起こり得ます。

「それを書いた時点では、思いも寄らなかった結果を引き寄せること」。哲学者の東浩紀さんはジャック・デリダの哲学を引き継ぎながらそれを「誤配（ごはい）」と呼んでいます。誤配には良い結果も悪い結果もありますが、どちらにせよ「自分」には思いもつかなかった結果を呼び寄せます。自分の思いを超えていくのです。その意味で、ノートを書くことは自分の人生に誤配を生じさせることだと言えるでしょう。

前章の話を思い出してください。文章を書くことがテレパシーであったからこそ、コミュニケーションで誤配が起こります。「意外な読まれ方」「予想外の使われ方」が生じるのです。もしそれが以心伝心であり、「思ったこと」がそのまま相手の心に書き込まれるなら、誤配など起こりようがありません。「思ったこと」がそのまま伝わって、それ以上の出来事は生じないまま幕が閉じます。まるでアルゴリズムのようです。

書き手が読み手のことを考えて文章を書き、読み手が書き手のことを考えてその文章を読む、という複雑なステップを踏むとき、そこに誤配が生じる余地が生まれます。情報の新しい価値は、そうした余地がないところには生じません。直接的な支配が可能な場所では、逸脱は生じないのです。

文章を書くことがテレパシーだからこそ、つまりそれが直接ではなく間接だからこそ、書かれた情報は「自分の思い」の外に出られるようになります。「こういう意味である」「こういう風に利用される」「こういう風に受け取られる」という自分の想定を、たやすく超えていくのです。

それが間接的なものの力です。直接的なものでは、絶対に起こり得ない魔法が、ここには宿ります。

コラム 長年続けているブログで見えてくること

私は十五年以上ブログを更新していますが、それらの記事を眺めていると、「ああ、自分はこういうものに興味を持つ人間なのだな」という興味の遍歴を見出すことができます。その情報は、どの新聞にも、どのWikiにも載っていません。しかし、私はそのような遍歴を見出すつもりでブログを書いてきたのではありません。ここに「書いた自分」と「それを読み返す自分」の中で誤配が生じています。

誤配を呼び込む

その誤配の魔法は、「今」の自分と未来の関係においても生じます。もし未来を「直接」作れてしまうならば、自分の思い以上のものにはならないでしょう。「思った通り」の世界とは、予想外の出来事が何も起こらない世界のことです。一見それはすばらしい世界に思えますが、これまで確認してきたように、人間は合理的とは言いがたく、認知もひどく偏っています。そうした「思い」によって直接作られた未来は、ひどく狭いものになるでしょう。世界のことも、自分のことも、自分はよくわかっていないのですから。

ある時点でビジョンを描いてみせたとしても、そのビジョンそのものが大きく間違っている可能性があります。そのビジョンを達成したとしても、自分の満足度がちっとも上がらないものをビジョンとして描いてしまうのです。なにせビジョンとは、理想でもあり、幻想でもあるからです。実体のないもの。それがビジョンです。

でもそれは悪いことではありません。むしろよいことなのです。ビジョンが幻想であるからこそ、つまりそれが直接現実を作らないからこそ、私たちはいつでもそのビジョンを誤配させていけます。過去の自分が書き残したことを、今の自分が読み替えていけるのです。言い換えれば、当初抱いた思いから逸脱していけるのです。

だからこそ、間接なのです。誤配を起こし「思い」の外側に出られる間接的なアプローチを大切にするのです。あるいは、予測できない未来には、予測できない価値を持つノートで対抗する。そんな風に言えるかもしれません。

夢を推敲する

では、そうした誤配を呼び込むために大切なことは何でしょうか。それは「未来のことを考える」姿勢です。

一見すると、未来は予測できないのだから、何かを考えても無駄であるという結論が出てくるように思います。しかし、考えてみてください。いくら文章が読む人に依存しているからといって、何も考えずに文章を書けばよい、という結論になるでしょうか。自分が読んでも支離滅裂な文章を書いて、「適当に解釈してください」と放置しておけば、それだけで予想外の結果が訪れると期待するのはさすがに虫がよすぎます。たとえ理解できなくても、支配できなくても、読者のことを考える姿勢が欠かせないことは前章でも確認しました。

未来についても同じことが言えます。未来が完全に自分でコントロールできないからこそ、未来について「考える」行為が大切になります。単に「思う」のではなく、さまざまに「考える」のです。そして、どれだけ考えても未来を完全に理解できるわけではないと悟ることもまた、未来について考える行為の重要な点です。

技法49 ビジョンを推敲する

自分が思い描くビジョンをノートに書き出し、それがあくまでビジョン（理想・幻想）でしかないと割り切った上で、さまざまな角度から検討してみましょう。あるいは時間を置いて読み返してみましょう。「夢を語る」ことの重要性はよく説かれますが、「夢を推敲する」ことの重要さは説かれません。まるで初志貫徹がこの上ない美徳だと言わんばかりの態度です。しかし、ビジョンもまた人が抱くものである以上、誤解や無知やバイアスが潜んでいます。自分のやりたいことと、それを表すための表現がマッチしていないこともあります。だから、自分が描き出したビジョンについても何度も読み返し、書き直すのです。

ノートというツールはそのために活躍します。ただ「思う」だけでなく、思ったことについて「考える」ためのツールなのですから。

ノートに「書き留める」と、「書き換え」られるようになります。それは「上書き」、つまりかつての事象をすべて「なかったこと」にするのではなく、一つの変化として、あるいは一つのプロセスとして「書き直す」ことを意味します。過去からの矢印を引き受けた上で、新しく矢印を設定する。そのような行いなのです。

書いたものは、何度でも書き直せばいいのです。考え直していけばいいのです。一度そう「思った」のだから、後はその通りにやり続ける、という頑固なアプローチではなく、たびたび足を止めて考え直すことをしていけばいいのです。それを可能にするのがノートです。

再び不真面目にノートを書くことについて

最後に「不真面目にノートを書く」について再検討しておきましょう。

第1章では、ノートは自由を象徴するツールであり、型にはまったやり方をする必要はないのだと確認しました。本書のここまでの議論を引き継げば、この「不真面目さ」は、さらなる意味の広がりを持ちはじめます。つまり、学校の授業のように「ここはテストに出るから勉強しよう」という目的と手段ががっちり固まっている「真面目さ」から逸脱し、その時点ではその意義がはっきりわからなかったり、非合理であると思えてしまうことにも手を出すこと。それが、私たちが獲得した「不真面目にノートを書く」ことの新たな意味です。

そのような逸脱は、現実社会ではいきなりは難しいかもしれません。しかし、「自分のノート」ならば何も問題ありません。自分の趣味を、自分の愉悦を、自分の偏りを追求していけます。そうしたものは、「世間一般の常識」からすれば眉をひそめられるものかもしれません。他の人に胸を張って誇れるものではないかもしれません。しかし、そうしたものも「自分」を構成する大切な要素であり、ビッグデータが無視し続けるものでもあります。ある価値判断が持つ評価軸の外側にあるがゆえに、可視化されないもの、評価されないもの。それらを書き留めておけるのもノートというツールです。それは別に役に立たなくてもいいのです。むしろ、役に立つかどうかの判断を超越して存在できるのが「自分のノート」です。

さすがにそれを公の場に公開するときには、それなりの「手入れ」が必要でしょうが、公開しないのであればまったく気にする必要はありません。闇に蠢(うごめ)くものも含めて、「自分」を記していけます。ですので、「真面目に」ノートを使わせようとする甘い誘いに屈しないでください。その甘美な響きは、「自分」から目を背けることへの誘いでもあるからです。

セルフヘルプからセルフスタディーズへ

「敵を知り、己を知れば、百戦して殆うからず」という言葉もありますが、未来を完全に知ることはできず、また己を完全に理解することもできません。つまり、未来に勝つのははじめから不可能なのです。「未来を支配下に置く」といった思いは自我の浅はかな入れ知恵に過ぎません。むしろ、未来は常に自分の想像を超えて欲しいものではないでしょうか。何かを希望と呼ぶならば、自分の思いを超える未来の存在こそが、希望と呼べるでしょう。「こうなって欲しい」をただ実現するためのツールではなく、いつでもそれを逸脱し、超越していくものを呼び寄せるためのツール。それがノートです。そのためには、ビジョンを描き、そのビジョンを書き換えていく作業が欠かせません。いつでも「新しい未来」を描き続けられる力こそが、絶望を打ち払ってくれます。

No.

Date

さて、本書もずいぶんと長い旅になりました。ノートによって自分の実用を助けるセルフヘルプからはじまったこの旅は、いつしか自分を知り、その自分を超えていくものへと変身しました。そうした活動全般を表す言葉は今のところありません。そこで本書ではそれをセルフスタディーズと呼んでみたいと思います。

ノートを書くことは、自分自身の探究であり、研究である。そのように捉えるのがセルフスタディーズです。そして、あらゆる探究と研究がそうであるように、そこには不測の変身が潜んでいます。そうなるとは予想もしていなかった世界の書き換えが、可能性として潜伏しているのです。

ずいぶんと大げさに感じられることでしょう。それはそうです。まさに「そんなことが起こるとは思わなかった」と思う出来事が生まれるのが誤配だからです。

なんにせよ、セルフスタディーズの「ため」ではなく、セルフヘルプとして、あるいは単なる個人の趣味としてノートを書きはじめてみてください。その最初の「ため」を超えるものをノートはもたらしてくれます。

それがなんなのかは、もちろん「今」の私にもわかりません。実に素晴らしいことではありませんか。

No.

Date

補章　今日からノートをはじめるためのアドバイス

本書を読み終えて、「じゃあ今日からノートをはじめるか」と思われた方向けにいくつかアドバイスをしてみます。

アドバイスその1　好きなノートを見つける

これからノートを使っていくなら、使うノートを決める必要があります。もちろん、学校ではないので、どんなノートを使っても構いません。自分の好きなノートを使いましょう。手書きが好きならばアナログのノート帳が第一候補ですが、レポートパッドでも日記帳でも手帳でも情報カードでも構いません。罫線や方眼といった形式も自分の好みに合わせられます。

一点注意したいのは「自分の好み」を過大評価しないことです。もう少し言えば、「これが自分の好みだ」という理解を鵜呑み（うの）にしないことです。「食わず嫌い」という言葉がありますが、それと同じで「使わず嫌い」なものも少なくありません。自分の好みをベースにしつつ、そこから逸脱して新しい「好み」を開拓してみるのも悪くないでしょう。それもまたセルフスタディーズの一環です。

デジタルツールの場合、ノートの選択肢はさらに広がります。何かを書き残せるツールをノートと呼ぶならば、パソコンやスマートフォンそれ自体が高度な集積的ノートであり、インストール可能なほとんどすべてのアプリケーションがノートとして使えます。いわゆる「ノートツール」と呼ばれるものだけでなく、ごく普通のテキストエディタやワープロアプリすらもノートに含められます。これらも好みのものを選んで大丈夫です。

もし形式張ったデジタルノートツールが肌に合わないならば、「Twitter などのSNSを自分のノート代わりに使うこともできます。秘密にしたい情報を書き込むことはできませんが、それでも気楽に投稿できるSNSは、ノートの練習にぴったりです。ここでもあまり堅苦しく考えずに、自分が楽に書き込めるツールを見つけるようにしましょう。

同様に、何かしらのノウハウ本が「このノートを使いましょう」とお薦めしていても、それを鵜呑みにする必要はありません。その「お薦め」がどれだけ論理的に構成されていても、所詮は「他人は他人、自分は自分」です。自分と著者が異なる存在であること以上に、「平均的にうまくいくこと」と「自分がうまくいくこと」が同じである保証はどこにもありません。あくまで参考情報として聞いておき、それを基にして自分が使いやすいノートを探していく姿勢を大切にしましょう。

総じて言えば、いろいろ試す中で、フィーリングが合うツールがあればそれがあなたの最初の相棒です。機能が心地よい、見た目が好みだ、使っていて楽しい、もっと書いてみたいと感じる、といった感覚が合うものが出てくればまずはそのノートから使い込んでいきましょう。

アドバイスその2　興味あることからはじめる

ノートを決めて、実際に書きはじめる際には、自分が興味を持っている事柄を対象にして書きはじめましょう。趣味でも仕事でも、それ以外でもなんでも構いません。本当にどんな対象でもいいのです。新しいプロジェクトに着手する、副業の準備を進める、勉強を開始する、趣味のコレクション、毎日の天気の様子、気になっている企業の株価やニュース、街で見かける植物や動物、アニメ、声優、ゲーム、漫画、映画、など自分が普段好んで観賞している、注意を向けているもののリストやその感想で構いません。どのようなものを選ぶにせよ、「一般的に役立つ」ものを基準にしないことです。ましてや「これを書けば成功する」なんて考えてしまえば、続けられるものも続けられません(なぜならいつまで経っても成功しないからです)。自分が興味を持っている、つまり関心や好奇心のベクトルをすでに有している対象からはじめるのがよいでしょう。

とは言え、「自分が何に興味を持っているのか」がわからないこともあります。そうしたときは、まず自分を観察することからはじめましょう。言い換えれば、まず自分に興味を持つことからはじめるのです。

そうした際は、日々の記録、つまり日記からスタートするのがもっとも手軽です。日記とは、自分に関する汎用的な記録の総称であり、具体的なテーマを持たず、自分が見聞きしたこと、体験したことを自分を通じて表現する行為だとも言えます。そうした表現を続けていくうちに、後から振り返ると、「そういえば、自分はこれについてよく書いているな」と気がつけます。そうしたら、次からは積極的にその領域に関心や注意を向けられるようになります。当然ノートの記述も広がっていきます。

とりあえず、何を書いたらいいのかわからなければ、「今日からノートを使いはじめた」と書き始めればよいでしょう。少なくとも、一つは必ず書けることがあるわけです。それを起点にして、たとえばこの本の感想を書いたり（たとえばですよ）、読みたくなった別の本のタイトルを書いたりと、記述を広げていけます。逆に言えば、何も書かなければそこから広がることもありません。よって、まずは書いてみることです。

アドバイスその3　観察・型発見・応用する

淡々と情報を書いているだけだと、いずれ飽きてくるでしょうし、退屈になるかもしれません。そこで、ただ書き残すことに加えて、「観察・型発見・応用」を意識してみましょう。

観察とは、そこに何があるのかを観ることです。言い換えれば、ただ読み返すだけでなく、何かがあるかもしれない、という気持ちで読み返すことです。

とは言え、そこで見つかるものが具体的に何なのかは事前にはわかりません。何があるかはわからないけれども、何かがあるかもしれない、という気持ちで読み返すのです。たとえるなら、冒険者や実験者の気持ちです。冒険に出かけるとき、あるいは実験に取り組むとき、事前に予想できる結果はほとんどありませんが、何かが起こるかもしれないとは期待できます。そういう気持ちで取り組むわけです。

とは言え、まったくのノーヒントではなく、「何を見つけるのか」にはヒントがあります。それが型（パターン）です。書き留めた情報を読み返していると、「あれとこれは近しい」と感じるものが出てきます。類似性・親近性・関連性とさまざまな言葉で表現できるこうした感覚は、私たちが情報を自分の手で捕まえる際の一つの「手がかり」と言えます。

最近見たアニメに何か共通性があるかもしれません。自分がこれまでやってきた作業に類似性があるかもしれません。自分の興味関心にパターンがあるかもしれません。そうしたものが見つかったら、それもノートに書いておきましょう。あなたが冒険で見つけた一つの宝箱です。

そのようにして型を見つけたら、他の領域にもその型が適用できないかを眺めてみましょう。たとえば直近のアニメに共通性を見つけたら、少し前に時間をさかのぼって作品をチェックしてみます。あるいは、自分の作業に類似性を見つけたら、他のプロジェクトや家事などにも似たものが見つからないかを探します。そうした探索を続けると、さらに新しい発見が得られます。転用できることに気がついたり、存在してしかるべきものが欠落しているのが見つかるのです。逆に、最初に発見した型が新しい発見によって変身することもあります。どれも心躍る経験です。

この段階に至ると、きっと次のように思われるでしょう。「ああ、なんでもっと記録が残っていないのだ」と。そう感じたら、もうあなたは立派なノーティストです。ようこそ、ノートのある生活へ。

アドバイスその4　遊びの感覚で進める

以上のようなことを、真面目にやるのは止めておきましょう。すべて「遊び」の感覚で進めるのです。言い換えれば、不真面目に、あるいは非真面目に行うのです。

上記のようなノートの書き方を「修業」だと捉えてしまえば、途端に全体がつまらなくなってきます。大切なのは冒険の感覚、実験の感覚です。必要なのは我慢ではなく、観察と工夫です。

ですので、ノートの書き方にルールを設けるにしても、いつだってそこから逸脱して構いません。自分が決めたルールでも、他の人が決めたルールでも同様です。自分が観察し、工夫した結果として、そこから逸脱するならば、それが新しいルールとなります。その新しいルールが良い結果をもたらさなかったとしても、それも一つの実験結果であり、「そのルールでは自分はうまくいかない」ことがわかります。自分についての理解が一つ深まるのです。

ですので、教条主義に陥らずに、あくまで「いい感じ」で行為を続けていくことを主眼に置いてください。

うまくできなくても気にしない。ルールにこだわりすぎない。細かいことは気にしない。おおらかに、おおまかに進める。そういう心持ちは、学校や会社なら怒られてしまうかもしれません。しかし、これはあくまで自分のノートの話です。そうした個人的領域にまで厳しいルール感覚を持ち込む必要はありません。自分の興味を重視し、自分のやり方を認めていきましょう。

「ノートは毎日書き続けなければならない」ような謎の使命感も、行動を開始する時点ではロケット打ち上げのブースターのように働くでしょうが、その爆発力を維持し続けるのは難しいものです。だから、続けられなくても気にしないでおきましょう。むしろ、続けられなくてあたり前くらいの感覚で大丈夫です。

そもそも完璧に自分の行動を管理できるなら、ノートなんて不要なわけですから、飛び飛びであっても、途中で長く中断しても「まあ、そういうものだ」と開き直るくらいで十分です。

なんにせよ、いやいや行う活動で新しい発見など起こり得ません。やらされている冒険や義務的な実験ではそのまなざしの光も曇ってしまうでしょう。大切なのは、目をらんらんと輝かせておくことです。

漠然と続けることにたいした意味はありません。残す情報が完全でなくても、そのとき「一般的」な価値が感じられなくても、自分の興味・関心のアンテナが最大限開くようなノートを続けることが肝心です。


ともあれ、人生を生きていく上で、ノートが書けないから死ぬなんてことはありません。ノートを書いたら必ず社会的成功が手に入るわけでもありません。だから、ノートが今すぐうまくいかないことを深刻に捉え過ぎないことです。習慣が身につくのには時間がかかり、その道のりもスムーズなものではありません。自分についての情報がノートに集まるのにも時間がかかります。しかし、たとえそうであっても、自分のノートは逃げていきません。あなたをずっと待っています。言い換えれば、ノートを使うことは、時間を味方にすることなのです。

だから真面目ではないスタイルで取り組んでみてください。途中でやめてもいいという認識が、むしろそれを長く続けるために必要な認識です。そして、そのような感覚を肯定できることそれ自体がノートを使う嬉しさの一つでもあります。

No.

Date

おわりに

人生をノートと共に

「なぜみんなはもっとノートを使わないのだろう？」

そんな素朴な思いから、本書の執筆はスタートしました。

学生時代ではあれほど使われていたノートも、社会人になると徐々に疎遠になっていき、やがてはまったく使われなくなります。まるで義務教育からの卒業が、ノートからの卒業であるかのようです。小学生の頃からテレビゲームを攻略するためにせっせとノートを取ってきた私にとって、その風景は実に不思議に見えました。これから戦場に出向くのに、何も武器を持たないで出陣する戦士を見るような気持ちです。近くにたくさん武器となるものは転がっているのに。

なぜみんなはもっとノートを使わないのだろう？

人間は「知的生命体」と称されるように、すばらしい知性を有しています。何の教育を受けていなくても、高度な情報処理（主にパターン処理）が可能であり、さらに言葉を覚え、読み書きができるようになると、その知性をより発達させることができます。ノートを使うこと――自分で記録を残し、他人が残した記録を参照すること――は、そうした知性を、テクノロジーのサポートを受けてもう一段強く発揮させる行為だと言えるでしょう。

イメージしてみてください。もし人類が記録というテクノロジーを獲得しなかったら、それはどのような道を歩んだでしょうか。もしかしたら紀元まで生き延びることなく、どこかで絶滅していたかもしれませんし、仮に生き延びていてもここまでの文明・文化を築くことはなかったでしょう。

同じことでは、個人が人生において残す記録でも言えます。記録を持たない個人と、記録を持つ個人とでは――両方が等しく幸福であるにしても――違いは必ずあります。その違いは、「今」ではなく、それよりも先の時点で開花するのです。その意味で、本書が目指したのはこれまでの人類の歩みと、自分という個人の人生の歩みを、「記録」をキーワードにして重ねてみる、といういささか冒険的な試みかもしれません。しかし、今現在必要な冒険であるとも感じます。

冒険といえば、ノート作りは実利に寄与するだけではありません。自分なりの情報基地を、もっと言えば自分なりの秘密基地を作るような楽しさがあります。これは実用から遠く離れた楽しさではありますが、現代ではそれが実用においても価値を持ちはじめています。静かに考えるための場所、自分なりの情報の流れを確立する場所が希少化しているからです。

その意味で、本書はちょっとした叛逆（はんぎゃく）の書でもあります。ＩＴによってもたらされる均一的な情報環境から逃れ出ると共に、画一的に押しつけられる「方法」からも逸脱するという叛逆です。

他人が提示したやり方に従わなくてもよいのだ、という啓蒙は控えめに言っても非社会的なものではありますが（少なくとも社会適応的とは言い難いものですが）、社会の方が任せても大丈夫という安心感を与えてくれないのですから、自分は自分でバリケードを作り、その中で力を蓄える必要があるでしょう。大げさに言えば、ノート作りとはそうした叛逆的行為でもあるのです。

本書が、皆さんの「自分のノート」作りに少しでも貢献できればそれに勝る悦びはありません。私が知らなかったノートの使い方を発見し、私が気がつきもしなかったノートの価値を見出してくれるならば、本書はその意義を全うしたことになります。
この本に書かれていることも、そして自分で考えていることも、そのどちらからも逸脱していただければ幸いです。簡単な話なのです。この世界は、自分が認識しているよりも広く、豊かで、複雑です。しかし、私たちは自分が認識できるだけでしか世界を認識することができません。だからこそ、ノートを取り、他人のノートを読み、「今」の自分を攪乱させるのです。ノートによる叛逆を。それが本書のひそかなメッセージです。

最後になりますが、本書は私自身のノート体験に加えて、情報を扱う技術・思想・哲学について書かれたさまざまな書物に影響を受けています（巻末の読書案内をご覧ください）。それだけでなく、ブログやＳＮＳを通して見聞きした知見や交換された意見によっても多大な影響を受けています。その意味で、どこかの部分を「これが私の成果です」と切り出して取り出すことはできません。他の書物がそうであるように、多くの知の統合としてこの本は成立しています。もちろん、文責は著者である私にあるので、本書に含まれる間違いや検討不足はすべて私の力不足によるものです。

No.
Date

力不足つながりでいえば、本書はこれまでの本とはずいぶん書き方を変えました。書き進め方だけでなく、構成のスタイルもこれまでとは違っていて、不慣れというよりも、もはや最初の一冊を書いているような心持ちがあります。そのせいでずっと力不足を感じながらも、どんな本ができあがるだろうかとワクワクしながら書き進めることができました。

そうした新しい書き方に踏み切れたのは、千葉雅也さんの『勉強の哲学』に頭をガツンとやられた影響があるからです。読み進める間ずっとワクワクしていた『勉強の哲学』の経験がなければ、私がこの本を、この形で、書くことはできなかったでしょう。素晴らしい本をこの世に送りだしてくださった千葉さんには深く感謝します。

もちろん、その新しい書き方に最後まで付き添ってくださった編集者の片倉直弥さんには感謝の言葉もありません。内心の半分では面白い原稿が書けているだろうと思いつつ、残りもう半分では「ほんとうにこれでいいのだろうか」と疑心にさらされていた私の不安な心は、原稿を送るたびに返ってくる温かいメールのコメントによっていつも救われていました。ありとあらゆる意味で、本はひとりでは書けないのだと、この仕事を十年続けていて強く感じる次第です。ありがとうございます。

そして、物書きというやっかいな職業の夫に、文句も言わずに連れ添ってくれている妻

No.

Date

には最大限の感謝を。とある鎮痛剤の半分はやさしさでできているようですが、私の幸せのほとんどすべてはあなたでできています。深い、深い感謝を。

読書案内

本書の参考文献、および本書の内容に関連して読みたい書籍を紹介します。

人類の歩みと記録について

人類の歴史については、『サピエンス全史』が面白く読めます。単に長大な歴史が語られているだけでなく、人間中心な視点からの転換が刺激的です。

情報とその技術の歴史に関しては『情報の歴史21』が圧巻です。年表をここまで面白く魅せてくれる本はなかなかありません。また、『インフォメーション　情報技術の人類史』は個々の情報技術にフォーカスし、『そのとき、本が生まれた』は書籍というメディアの形態がいかに生まれたのかを語ってくれます。もし、さらに余力があればマクルーハンの書籍を当たってみてもよいでしょう。

No.

Date

・ユヴァル・ノア・ハラリ著、柴田裕之訳『サピエンス全史』(上)(下)、河出書房新社、2016
・松岡正剛、編集工学研究所、イシス編集学校『情報の歴史21 象形文字から仮想現実まで』、編集工学研究所、2021
・ジェイムズ・グリック著、楡井浩一訳『インフォメーション 情報技術の人類史』、新潮社、2013
・アレッサンドロ・マルツォ・マーニョ著、清水由貴子訳『そのとき、本が生まれた』、柏書房、2013
・マーシャル・マクルーハン著、森常治訳『グーテンベルクの銀河系 活字人間の形成』、みすず書房、1986
・マーシャル・マクルーハン著、栗原裕、河本仲聖訳『メディア論 人間の拡張の諸相』、みすず書房、1987

脳の機能について

ノートの使い方は、脳の機能から逆算できます。脳の不得意を補うように使えばいいからです。その意味で、脳の機能を知ることは自分を知ること（セルフスタディーズ）の第一歩になるでしょう。

脳の情報処理が二パターンあるという二重過程理論を解説した書籍はいくつもありますが、『ファスト&スロー』は面白く読める本の筆頭です。また、『意思決定の心理学』は内容がコンパクトにまとまっています。より実践的な内容として、『リファクタリング・ウェットウェア』や『MIND HACKS』もチェックしてみるとよいでしょう。

脳の弱点に注目したものとして、『知ってるつもり　無知の科学』があり、さらに『ブラック・スワン』も興味深い内容です。行動経済学、進化心理学といった分野に分け入ると、面白い話がざくざく出てきます。

一方、脳の不思議さに目を向けると『あなたの脳のはなし』や『脳のなかの幽霊』が嬉しい驚きをつれてきてくれます。自分の頭蓋骨に収まっているものが、「他人」であるかのように思えてくるでしょう。

- ダニエル・カーネマン著、村井章子訳『ファスト&スロー　あなたの意思はどのように決まるか？』（上）（下）、早川書房、2014

- 阿部修士『意思決定の心理学 脳とこころの傾向と対策』、講談社、２０１７
- Andy Hunt著、武舎広幸、武舎るみ訳『リファクタリング・ウェットウェア 達人プログラマーの思考法と学習法』、オライリー・ジャパン、２００９
- Tom Stafford、Matt Webb著、夏目大訳『Mind Hacks 実験で知る脳と心のシステム』、オライリー・ジャパン、２００５
- スティーブン・スローマン、フィリップ・ファーンバック著、土方奈美訳『知ってるつもり 無知の科学』、早川書房、２０１８
- ナシーム・ニコラス・タレブ著、望月衛訳『ブラック・スワン 不確実性とリスクの本質』（上）（下）、ダイヤモンド社、２００９
- デイヴィッド・イーグルマン著、大田直子訳『あなたの脳のはなし 神経科学者が解き明かす意識の謎』、早川書房、２０１９
- V・S・ラマチャンドラン、サンドラ・ブレイクスリー著、山下篤子訳『脳のなかの幽霊』、角川書店、２０１１
- ロビン・ダンバー著、鍛原多恵子訳『人類進化の謎を解き明かす』、インターシフト、２０１６

No.

Date

さまざまな記録術について

実際にノートの使い方を紹介している本ももちろん「参考文献」として役立ちます。まず『独学大全』は記録の使い方を総合的に学べる最高の一冊です。一家に一冊あってもよい本でしょう。

その他個別のツールでは、日記は『日記の魔力』、手帳は『「箇条書き手帳」でうまくいく』、カードは『知的生産の技術』、リストは『「リスト」の魔法』、アウトライナーは『アウトライナー実践入門』、デジタルノートは『Scrapbox 情報整理術』、マインドマップは『マインドマップ超入門』、こざね式の読書メモは『情報は1冊のノートにまとめなさい［完全版］』が参考になります。より発想に注力した記録術をまとめた本として『考具』も便利です。

- 読書猿『独学大全 絶対に「学ぶこと」をあきらめたくない人のための55の技法』、ダイヤモンド社、２０２０
- 表三郎『日記の魔力 この習慣が人生を劇的に変える』、サンマーク出版、２００４
- Marie『「箇条書き手帳」でうまくいく はじめてのバレットジャーナル』、ディスカヴァ

ー・トゥエンティワン、2017
- ライダー・キャロル著、栗木さつき訳『バレットジャーナル 人生を変えるノート術』、ダイヤモンド社、2019
- 梅棹忠夫『知的生産の技術』、岩波書店、1969
- 堀正岳『仕事と自分を変える「リスト」の魔法』、KADOKAWA、2020
- アトゥール・ガワンデ著、吉田竜訳『アナタはなぜチェックリストを使わないのか?』、晋遊舎、2011
- Tak.『アウトライナー実践入門「書く・考える・生活する」創造的アウトライン・プロセッシングの技術』、技術評論社、2016
- 倉下忠憲『Scrapbox 情報整理術』、シーアンドアール研究所、2018
- 奥野宣之『情報は1冊のノートにまとめなさい[完全版]』、ダイヤモンド社、2013
- トニー・ブザン著、近田美季子訳『マインドマップ超入門』、ディスカヴァー・トゥエンティワン、2008
- 加藤昌治『考具 考えるための道具、持っていますか?』、CCCメディアハウス、2003

No.

Date

- ジェームス・W・ヤング著、今井茂雄訳『アイデアのつくり方』、CCCメディアハウス、1988

セルフマネジメントについて

自己管理について学ぶなら、いくつかの「古典」に注目するとよいでしょう。『7つの習慣』は自己啓発書の定番中の定番です。GTDは『はじめてのGTD ストレスフリーの整理術』で、ドラッカーの手法は『プロフェッショナルの条件』で学べます。リストを開くのではなく閉じる考え方は『マニャーナの法則』が示唆的です。

また、さまざまなタスク管理の用語をまとめたものとして『「やること地獄」を終わらせるタスク管理「超」入門』があります。

これらすべてを実践するというよりは、自分に合うものを見つける感覚がよいでしょう。

- スティーブン・R・コヴィー著、ジェームス・スキナー、川西茂訳『7つの習慣 成功には原則があった!』、キングベアー出版、1996
- デビッド・アレン著、田口元訳『全面改訂版 はじめてのGTD ストレスフリーの整理

術』、二見書房、2015

- P・F・ドラッカー著、上田惇生訳『プロフェッショナルの条件 いかに成果をあげ、成長するか』、ダイヤモンド社、2000
- 倉下忠憲『「やること地獄」を終わらせるタスク管理「超」入門』、星海社、2019
- マーク・フォースター著、青木高夫訳『仕事に追われない仕事術 マニャーナの法則 完全版』、ディスカヴァー・トゥエンティワン、2016
- フランチェスコ・シリロ著、斉藤裕一訳『どんな仕事も「25分+5分」で結果が出るポモドーロ・テクニック入門』、CCCメディアハウス、2019
- ベンジャミン・フランクリン著、ハイブロー武蔵訳『幸福実現のための フランクリン・メソッド』、総合法令出版、2009

読書について

読書について学ぶなら、速読よりも精読について学ぶ方がむしろ現代的です。速く読むことはＩＴが促してくれますが、ゆっくり時間をかけて読むことは自分で学ぶしかないからです。

『本を読む本』はやや難しいですが、自分の知識を一つ上の階層に広げていこうとするときに役立ちます。デジタルとアナログの両方を見据えた読書については『ハイブリッド読書術』が、より深い学びを求める本の読み方は『Learn Better』が参考になります。

- M・J・アドラー、C・V・ドーレン著、外山滋比古、槇末知子訳『本を読む本』、講談社、1997
- 倉下忠憲『ソーシャル時代のハイブリッド読書術』、シーアンドアール研究所、2013
- アーリック・ボーザー著、月谷真紀訳『Learn Better 頭の使い方が変わり、学びが深まる6つのステップ』、英治出版、2018

執筆と出版について

文章を書くことは、一つの技術として高めることが可能です。『数学文章作法』シリーズは、数学という名前がついていますが執筆全般に役立ちます。古典とも言える『理科系の作文技術』や、小説執筆の文脈ではありますが、『書くことについて』も学べることがたくさんあります。

電子書籍を使った出版活動については、『ＫＤＰではじめる セルフ・パブリッシング』に役立つ情報がまとめられています。ただし、ＩＴの進化は速いので、最新情報はインターネットを検索してみるのがよいでしょう。

- 結城浩『数学文章作法 基礎編』、筑摩書房、２０１３
- 結城浩『数学文章作法 推敲編』、筑摩書房、２０１４
- 木下是雄『理科系の作文技術』、中央公論新社、１９８１
- スティーヴン・キング著、田村義進訳『書くことについて』、小学館、２０１３
- 倉下忠憲『ＫＤＰではじめる セルフ・パブリッシング』、シーアンドアール研究所、２０１４

思想について

誤配の概念は、デリダの著作よりも東浩紀さんの著作が参考になります。また本書で登場した「決定はするけれども、それは中断でしかなく、また考えを再開できる」というコンセプトは『勉強の哲学』の影響を受けたものです。さらに、自分と他人がどこかしらでつながっているという考え方は、『近代日本思想選 西田幾多郎』を背景にしています。

- 東浩紀『存在論的、郵便的 ジャック・デリダについて』、新潮社、1998
- 千葉雅也『勉強の哲学 来たるべきバカのために 増補版』、文藝春秋、2020
- 西田幾多郎『近代日本思想選 西田幾多郎』、筑摩書房、2020

No.

Date

No

Date

すべてはノートからはじまる　あなたの人生をひらく記録術

二〇二一年七月二一日　第一刷発行
二〇二四年四月五日　第五刷発行

著者　倉下忠憲
©Tadanori Kurashita 2021

発行者　太田克史
編集担当　片倉直弥

発行所　株式会社星海社
〒一一二-〇〇一三
東京都文京区音羽一-一七-一四　音羽YKビル四階
電話　〇三-六九〇二-一七三〇
FAX　〇三-六九〇二-一七三一
https://www.seikaisha.co.jp

発売元　株式会社講談社
〒一一二-八〇〇一
東京都文京区音羽二-一二-二一
（販売）〇三-五三九五-五八一七
（業務）〇三-五三九五-三六一五

印刷所　TOPPAN株式会社
製本所　株式会社国宝社

アートディレクター　吉岡秀典（セプテンバーカウボーイ）
デザイナー　福島よし恵
フォントディレクター　紺野慎一
校閲　鷗来堂

ISBN978-4-06-524330-5
Printed in Japan

190
SEIKAISHA SHINSHO

星海社新書ラインナップ

1　武器としての決断思考　瀧本哲史

「答えがない時代」を生き抜くための決断力

教室から生徒があふれる京都大学の人気授業「瀧本哲史の意思決定論」を新書１冊に凝縮。これからの日本を支えていく若い世代に必要な〝武器としての教養〟シリーズ第１弾。

25　キヨミズ准教授の法学入門　木村草太

日本一敷居の低い、法学入門書！

喫茶店で、不思議な大学の先生と出会ったことから、僕は法学に興味を持つことに……。気鋭の憲法学者×漫画家・石黒正数。「法学的考え方」を小説で面白く学べる、最高の法学入門！

30　投資家が「お金」よりも大切にしていること　藤野英人

人生で一番大切なカネの話をしよう

お金について考えることは自らの「働き方」や「生き方」を真剣に考えることと同義です。投資家・藤野英人が20年以上かけて考えてきた「お金の本質とは何か」の結論を一冊に凝縮。

星海社新書ラインナップ

73 熱狂する現場の作り方

サイバーコネクトツー流ゲームクリエイター超十則　松山洋

休むな。闘え。

希代の経営者でありゲームクリエイターである著者が明かす、「熱狂する」現場と、「熱狂させる」ゲームの作り方。「誰でもできるけど誰もやらないことをやる。それだけ」。

74 白熱洋酒教室　杉村啓

人生を変える一杯は、必ず見つかる。

ウイスキー、ラム、ブランデー……世界中で愛される蒸留酒。「度数が高いから」「難しそうだから」で敬遠するのはもったいない！　味覚を育てながら、最高の一杯を探しましょう！

80 下水道映画を探検する　忠田友幸

下水道から映画を観る！ 前代未聞の映画ガイド！

知られざる映画の名脇役、それは“下水道”!?　ネズミにモンスター、逃走路に脱獄まで、８つの分類で映画の中の下水道を徹底解説！　さあ、本書を道しるべに、探検を始めよう！

83 大塚明夫の声優塾 大塚明夫

埋没するな！馬群に沈むぞ！

一夜限り、“本気”の人たちだけを集め行われた声優塾。大塚明夫本人が全国から集まった16人の生徒と対峙したその貴重な記録を一冊に凝縮した、実践的演技・役者論！

84 インド人の謎 拓徹

なぜ、カレーばかり食べているのか？

神秘、混沌、群衆……とかく謎めいたイメージのつきまとうインドですが、神秘のヴェールを剝いでしまえば「普通の国」!? インド滞在12年、気鋭の著者による圧倒的インド入門書！

87 白熱ビール教室 杉村啓

いま、日本のビールは黄金期を迎えている！

次々と登場するクラフトビール、海外の名だたる賞を次々に受賞する大手ビールメーカー、毎月のように行われるビールイベント——。さあ、「ビール黄金期」を一緒に味わおう！

星海社新書ラインナップ

100 スーツに効く筋トレ Testosterone

ビジネスマンこそ、筋肉が必要なのだ。

一流のエリートが実践する、集中力・パフォーマンス・コンディションを最大化する最強メソッド――それが筋トレだ。やれば「結果」につながる、ビジネスマンのための筋トレ本！

111 サイバーセキュリティ読本【完全版】ネットで破滅しないためのサバイバルガイド 一田和樹

個人情報はバレる、漏れる、炎上する!!

サイバーテロ・ネット詐欺・SNSストーキングは、あなたの何気ない投稿から始まる。事故や病気を予防するように、サイバー攻撃に注意を払う時代です。いま必読のネット自己防衛術！

156 パンクする京都 中井治郎

オーバーツーリズム最前線、京都！

オーバーツーリズムの最前線で戦う京都住民たちの現地レポートや関係者インタビューを通して「持続可能な観光」の在り方を考えてゆきます！

161　理系のための文章教室 もう「読みにくい」とは言わせない！　藍月要

なぜ「理系の文章」は読みにくいのか？

世の中で「読みにくい」と言われがちな理系の文章。
原因は「いい文章とは何か」を巡る社会とのギャップにあり!?
「読みやすい」と言われるコツを理系ラノベ作家が伝授します。

163　意識の低い自炊のすすめ　巣ごもり時代の命と家計をまもるために　中川淳一郎

料理は楽すりゃいい 権威を疑え！

料理は無理せず、苦痛に感じない範囲で楽しくやればいい。専門家の意見よりも自分の感覚を信じよう。こう唱える著者による、楽しく読んで実用できる料理論＆グルメエッセイ。

170　コンビニ・ダイエット　浅野まみこ

コンビニ食で、ラクしてやせる！

１万8000件以上の栄養相談を実施してきた管理栄養士が、
無理な我慢ゼロで、やせることができるダイエットテクニック
をオールカラーレシピ付きで紹介します！

171　移動・交易・疫病　命と経済の人類全史　玉木俊明

人類の移動は歴史をどう変えてきたのか⁉

新型コロナ禍で人の移動が激減したアフターコロナの世界像を、経済的・文化的に人類の進歩に不可欠だった「人の移動」を歴史的に捉え直すことで、新しい角度から考察する一冊。

173　弱い男　野村克也

野村克也、最後のぼやき

「老い」「孤独」「弱さ」に向き合って生きてきた野村克也が、死の直前に語った10時間に及ぶ貴重なインタビューを収録。一流の「弱さ」に満ちた最後のメッセージ。

177　菅政権　東大話法とやってる感政治　宇佐美典也

気鋭の論客が暴く10年代政治の本質！

安倍・菅政権の本質である「東大話法」と「やってる感政治」は、日本の政治改革が行き着いた隘路である。気鋭の論客が剔抉する、ゼロ年代・10年代政治史とその課題とは!?

星海社新書ラインナップ

178 ストーリーのつくりかたとひろげかた 大ヒットを生み出す物語の黄金律 イシイジロウ

ストーリー作りの黄金律と最前線！

ゲーム・演劇・アニメ・ドラマなど多方面に活躍するクリエイター・イシイジロウが、ストーリー作りの古典的メソッドから最新鋭の実験的ノウハウまで縦横無尽に語り尽くす！

183 北条義時 鎌倉幕府を乗っ取った武将の真実 濱田浩一郎

鎌倉時代を本当に作ったのはこの男!?

北条義時は、朝廷と真っ向から戦争し、武士の世を築くという偉業にもかかわらずマイナーな「地味キャラ」だ。その素顔を描く、2022年大河ドラマ「鎌倉殿の13人」主人公の一代記！

184 信長に学ぶ経営分析 利益率・資本・生産性 西澤健次

会計学の極意を信長に学ぶ！

会計学の中で、経営に役立つ実践的エッセンスを詰めこんだ「経営分析」。それを信長の歴史エピソードになぞらえて楽しく解説します。「会計学×歴史」の新感覚エンタメ会計入門！